SAMSARAH
rainbow planet

SAMSARAH

L'Exploration Consciente des Passages

Tome 2

par

Sarah Diane Pomerleau

Rituels pour
autoguérir la séparation de l'Être
et reprogrammer le code génétique et l'ADN

SAMSARAH rainbow planet
C.P. 312, Saint-Jean-sur-Richelieu, (Québec) Canada J3B 6Z5

Téléphone: 450-358-5530
Télécopieur: 450-359-1165
Courrier électronique : samsarah49@hotmail.com
Sites Internet : samsarah.iquebec.com
www.samsarah.ca

PHOTOS ET DESSINS: Sarah Diane Pomerleau
EXTRAIT DE L'ILLUSTRATION DE LA PAGE COUVERTURE:
"Le Dragon dansant" de Sarah Diane Pomerleau
AJUSTEMENTS DES PHOTOS ET DESSINS: Krebs graphisme enr.
CONCEPTION DE LA PAGE COUVERTURE: Krebs graphisme enr.
MISE EN PAGE: Krebs graphisme enr.

DISTRIBUTION:
Publications en francais:
Québec: Diffusion Raffin................450-585-9909
France: Azur Livres........................33.4.94.78.34.87
Belgique: Rabelais Diffusion..........32.2.218.73.02
Suisse: Transat S.A. Diffusion........41.22.343.77.40
Publications en anglais:
USA, Angleterre, Australie, Hollande, Canada
New Leaf Distributing.....................1-800-326-2665
Rainbow Planet Distribution...........450-358-5530

*** Tous nos ouvrages sont aussi distribués par AMAZON.COM**

Dépôt légal 1er trimestre 2002:

Bibliothèque Nationale du Québec
Bibliothèque Nationale du Canada

ISBN: 1-894750-02-0

Imprimé au Canada

Remerciements

Aux Maîtres des Passages

DU MÊME AUTEUR, AUX ÉDITIONS
SAMSARAH rainbow planet:

- **L'Au-d'Ici vaut bien l'Au-delà**
  (Disponible en anglais et en espagnol)

- **L'Oracle du Guerrier Intérieur**

- **L'Étoile**

- **Dialogues avec l'Aigle et les Maîtres de l'Arc-en-Ciel Tome 1**
  (Disponible en anglais: Dialogues with the Eagle and the Rainbow Masters)

- **Rites de Passages conscients pour un Nouveau Millénaire**

- **Samsarah: L'Exploration consciente des Passages Tome 1**
  (Rituels pour accompagner les Passages de la vie et de la mort)

- **Samsarah: L'Exploration consciente des Passages Tome 2**
  (Rituels pour autoguérir la Séparation de l'Être et reprogrammer le code génétique et l'ADN)

À PARAÎTRE:

- **La Méthode Samsarah, La Thérapie des Passages**
  (Une Voie de Libération)
- **La Voie du Totem**
- **La Mort Consciente pour une Vie Orgasmique**
- **Passeurs de Terre, Passeurs d'Âmes**
- **Le Retour d'Horus, le Faucon blanc**
- **Les Dauphins, les Passages et l'ADN**

Dédicace

Voici mon héritage aux

Passeurs de Terre
Passeurs d'Âmes
Sages-hommes et Sages-femmes des Passages
Thérapeutes et Guides des Passages

TABLE DES MATIÈRES

AVANT-PROPOS

Celui ou celle qui a appris
a le choix de faire pour l'autre
ou de lui montrer comment faire.

***

Depuis 1993, j'ai créé et élaboré les exercices contenus dans ce livre. L'heure est venue de les transmettre à toutes les personnes qui se sentent appelées à les expérimenter en Auto-exploration.

Ces exercices sont devenus des enseignements et ont pris la forme d'une Méthode, **la Méthode Samsarah,** que j'ai enseignée en Europe et en Amérique à des centaines de Passeurs de Terre, Passeurs d'Âmes, Thérapeutes et Guides des Passages.

La Méthode Samsarah (md), la Thérapie des Passages, paraîtra en 2002. Elle présentera l'enseignement détaillé, des méditations et des exemples de cas pertinents.

PRÉFACE

Voyez comment nous naissons et mourons
et vous saurez qui nous sommes devenus.

La véritable histoire de l'humanité s'écrit dans l'intimité des maisons de guérison des nouveaux chamans, les thérapeutes des Passages, les sages-hommes et sages-femmes du troisième millénaire.

Naissance, abus, entrée scolaire, inceste, puberté, viol, adolescence, initiation sexuelle, délinquance, choix de carrière, orientation sexuelle, mariage, changement d'emploi, infidélité, naissance d'un enfant "différent", mort d'un enfant, violence, divorce, séparation, cataclysme, perte d'un être cher, avortement, déménagement, ménopause, cruauté, pédophilie, andropause, guerre, maladie, mort, deuil, suicide, génocide, renaissance, rencontre d'une âme-soeur...

Dans notre société "dite civilisée", trop souvent nous avons traversé ces Passages, la plupart du temps seuls et sans accompagnement. Autrefois les peuples "dits primitifs" pratiquaient des Rites de Passages qui permettaient aux membres de la communauté de traverser en toute conscience les étapes initiatiques de la vie et de la mort.

Heureusement, parmi nous, des Passeurs de Terre, Sages-hommes et Sages-femmes des Passages, se font de plus en plus présents. Ce livre présente le Tome 2 des exercices contemporains ou Rites de Passages utilisés par les Thérapeutes et Guides des Passages.

INTRODUCTION

Ouverture Béante à l'Amour

En guise d'Introduction, j'ai choisi de partager avec vous des extraits d'une rencontre que j'ai eue avec un médium de Montréal le 21 avril 1998.

S: Sarah
M: Médium

M: Il n'y a pas de coïncidence à cette rencontre en ce moment particulier de votre vie, alors que vous entrez dans le dernier droit de ce long périple qui vous propulse dans un autre plan de vie sur cette Terre. On dirait changement, modification, bascule, acceptation, à la suite de ce dernier droit. Les grandes bascules sont devant vous, mais on s'y prépare avec plus d'amour de soi qu'auparavant.

Vous entrez à travers toutes ces vies, avec changement de sensations, puisqu'on est entré dans une période de finalisation. Il n'y a pas de prédestination sur cette Terre, dans cet Univers beaucoup plus parfait, qui ne nécessite point que les éléments soient organisés à l'avance. La puissance de l'âme de l'univers, qui se retrouve dans chaque âme, est suffisante à ce que chaque manifestation de l'univers puisse concevoir la suite sans qu'il y ait cette nécessité d'un grand livre où tout soit inscrit à l'avance.

On peut sentir à travers ces émanations qui sont les vôtres et qui créent, qui attirent ce qui vient, ce courant de finalisation. Dans cette période qui s'amorce, finalisation et passage dans une **Ouverture Béante à l'Amour**. Est-ce que l'être que vous êtes se permettra de s'abandonner dans cette ouverture?

S: Bonne question.

M: Nous vous le suggérons. Cette période de glissement que vous amorcez est importante. Nous n'oserons dire critique, pour ne point influencer votre atmosphère intérieure, mais toutefois exige de vous une grande présence, une grande souplesse, une grande acceptation de vous-même, ce qui ne fut pas toujours le cas. Une acceptation du courant qui vous emporte dans votre plan de vie.

On vous parle d'une bascule dans un nouveau plan de vie qui constituera, de façon plus harmonieuse avec vous, votre Oeuvre réelle. On ne vous dit pas que vous n'avez pas réalisé quoi que ce soit, on n'en est pas au jugement, à l'appréciation de ce que vous faites. On vous parle ici de l'intégration de vous-même avec vous-même dans votre oeuvre. Une juxtaposition, l'association de votre Être à votre Action réelle. Une acceptation vivace, l'entrée dans cette oeuvre.

Pour y entrer, on constatera qu'il faut encore des finalisations sur différents plans. D'abord dans votre environnement, de façon très concrète, dans cette densité, dans cette vie même, dans sa manifestation. Nous parlons tant au niveau matériel qu'humain.

De façon relationnelle, il faut des faits, pour suivre ce courant intérieur, avec des êtres qui n'ont plus leur place dans votre vie. Cela ne signifie point qu'il y a des heurts avec eux mais ils sont exigeants et ils amènent une certaine déviation, provoquent une dispersion de votre part.

Ils ne sont pas néfastes, mais ils ne sont plus significatifs. Ce qui ne signifie pas qu'ils ne sont pas importants; ils ont eux aussi leur Oeuvre à réaliser. Par rapport à votre courant, il faut permettre que les fils se détachent, le filage de toute façon est très mince avec ces êtres. Il vous sera demandé de laisser aller, de faire la coupure, pour permettre par la suite le renouvellement. Cette **Ouverture Béante à l'Amour** propose des êtres déjà présents qui nécessiteront plus d'intensité de votre part. Intensification de la relation et des êtres qui se renouvellent.

Sur le plan organisationnel, matériel, il y a cette capacité que vous avez développée et qui se manifestera encore. Vous direz vous-même *"Je croyais déjà avoir expérimenté cela. Encore un peu plus et pourquoi pas?"* Nous ne parlons pas ici de détachement et d'abandon mais plutôt d'éléments matériels qui vous abandonnent malgré vous. On ne fait qu'observer. Ce sourire, puissiez-vous le conserver à ces moments...

Observez les éléments avec un sourire au coin des yeux, même si la situation ne semble pas le permettre quand elle se réalise. Souvenez-vous de ces paroles. Ce ne sera que temporaire et très libérateur. Lorsque cela se manifestera cela ne semblera pas être libérateur. Cela semblera plutôt être assez coercitif, assez oppressant, en ce sens qu'il y a certaines pertes qui semblent réduire votre champ. C'est la réduction du champ qui est illusoire et temporaire. Les pertes seront réelles. Mais conservez ce sourire, puisque vous savez que c'est une période qui vous amène à la bascule. C'est une période de fin.

L'AMOUR

Il y a une modification sur le plan intime, puisque à la fin de cette période, vous entrez dans cette richesse de la relation amoureuse. De là à la concrétiser, il n'en tiendra qu'à vous. C'est la sensation de retrouver un amour très profond de soi-même qui se manifeste aussi à travers l'autre. On est sur la Terre, on est humain. Cet amour de soi on peut aussi le ressentir à travers un autre être. Pourquoi pas?

S: Donc la clé c'est de s'aimer soi-même.

M: On a déjà entendu ces mots, n'est-il point? On ne vous parle pas de cette grande thématique que tous les êtres ont en eux. On vous dit simplement que vous serez amenée dans des situations pour bien le réaliser et vous permettre de vivre cet élément qui s'amorce de façon importante. Pourquoi l'on insiste? Parce qu'il y a chez vous des résistances. Vous résistez à vous-même.

Lorsque l'on vous dit: *"Aimez-vous vous-même profondément"* ça ne signifie pas n'aimer que soi-même. Nous savons qu'il y a cet amour des autres. Nous parlons d'un amour humain. Nous allions dire terrestre mais le mot aurait été faux, puisqu'il s'agit aussi sur d'autres plans d'une expansion de cet amour, de cette réalisation.

Il y a chez vous une attraction, une pulsion très nette, vous ne pouvez pas la nier. Mais quelques fois il y a une réaction de votre part, une sensation d'indépendance face à cette sensation qui est claire chez vous. Ne niez pas ce courant en vous qui amène une expansion de votre être. Ce courant, cette pulsion de partage à un niveau amoureux, intime sur différents plans et qui vous permet de ressentir la propulsion dans votre action, dans votre oeuvre. Vous pouvez jouer les rôles qui vous plaisent, mais ne vous leurrez pas vous-même de cette indépendance.

On vous parle d'un thème que l'on n'a pas ici encore partagé aux êtres. Nous attendons le début du millénaire. Nous ne l'avons partagé qu'à l'outil que nous utilisons (le canal médiumnique). Nous vous parlons de dépendance à l'Amour. Non pas de dépendance à l'amoureux ou à l'amoureuse, mais de dépendance à l'Amour.

L'Amour, c'est l'énergie réelle, l'énergie originelle, l'essence, l'énergie électro-magnétique. Il y a naturellement chez l'être une dépendance à l'Amour qui est saine puisque vous êtes Amour. Dépendance à l'Amour, dépendance à la vie, à l'univers, à vous-même. C'est ce qui propulse le plus l'être. Ne soyez pas dépendant de qui que ce soit mais vous ne pouvez pas nier cette dépendance à l'Amour réel, puisqu'il est votre essence. Cet Amour se manifeste sur plusieurs plans. On ne peut pas le nier chez l'être humain. On peut en faire abstraction sans contrecarrer l'élan, la pulsion réelle de l'être.

L'OEUVRE

Une période de finalisation, terminaison avec des êtres, avec des choses. Voyons comment ici l'oeuvre est en transit. Cette période, nous utiliserons le terme de transfert, de transit, de période charnière, d'épuration, d'élimination dans votre action de ce qui ne tient plus. Si vous ne le réalisez pas vous-même, l'environnement se chargera bien de vous présenter de façon très nette ce qui ne tient plus. Cest une période d'épuration pour que vous ne conserviez que le coeur, le noyau de votre oeuvre.

Vous arrivez à la fin, décharnée, qu'avec le coeur, le squelette. L'oeuvre réelle, le plan de vie, constituera la remise en action de ce coeur, la retrouvaille. D'abord un grand cycle de ré-identification. Retrouvaille de cette identité. Ce qui ne signifie pas qu'on vague ici et là, à la recherche de son identité. C'est plus précis que cela. On la sent nouvelle son identité.

Dans votre cas, de façon plus précise, adaptation à sa nouvelle identité renouvelée. Nouvelle, non point dans le sens où tout à coup une nouvelle identité arrive, mais plutôt éclate. C'est une identité présente, qui est très réelle en vous depuis bien avant le début de cette incarnation et qui se permet de prendre place. Réadaptation à cette identité qui est la vôtre, mise en place de reconstruction de l'oeuvre et édification. C'est tout le grand cycle qui s'offre à vous. C'est le coeur, le squelette. Tout ce qui n'a pas sa place vous le lapidez ou il se détache malgré soi. Vous êtes dans une période à la fois d'action, d'expression et d'observation.

Nous insistons parce que ce n'est pas une période simple. Vous sentirez ce besoin d'être active, de maîtriser vos choix et à la fois vous sentirez un ensemble d'éléments dont vous n'avez pas la maîtrise. Vous sentez la direction mais vous ne la maîtrisez pas totalement. C'est une période intéressante, toutefois si on ne la saisit pas, on peut se sentir ballottée par la vie, se promenant entre la netteté et la confusion à travers une même journée.

L'AIR

Votre oeuvre tend à se préciser. De plus en plus vous travaillez, vous oeuvrez avec l'élément Air. L'élément Air, l'éther, se situe à travers tous les éléments. Nous préférons utiliser l'élément Air, la mise en place de votre enseignement sur différents plans de conscience. Vous avez accepté cette voie. Cela signifie que le plan incarné demeure et s'accentue.

Vous proposez la Création aux êtres, puisqu'on ne peut pas faire fi de son feu. On vous parle d'entrer dans l'Air, dans la diffusion, dans l'empreinte. C'est tout votre plan de vie qui s'amorce, l'Air qui s'installe. Cet Air ne peut négliger ce feu en vous, la direction. Vous êtes un être qui ne peut pas que diffuser, vous devez aussi diriger. Vous avez en vous un certain conflit par rapport à cela.

N'oubliez pas qu'en cette fin de millénaire, les êtres ont une nécessité de retrouver leurs dirigeants, leurs directeurs. Ce n'est pas une question de pouvoir. C'est une question d'accomplir le rôle associé à son essence élémentaire. Vous êtes une dirigeante. Dans votre diffusion dans votre transfert vers les êtres, il est important de saisir que les êtres vont vers vous pour recevoir une direction, une structure, malgré la souplesse. Il veulent recevoir de vous plus qu'une information, un transfert, plus que votre vibration, plus que vos émanations. Ils veulent être dirigés.

Ça ne signifie pas qu'on prend en charge les êtres de

facon hiérarchique, dans des structures. Ça signifie une présence assez orientante. Transfert, orientation et précision. Bien sûr on laisse les êtres à leur pouvoir. On indique la voie de façon précise en fonction des êtres. Vous en êtes à un point de votre vie où vous pouvez éliminer cet élément de votre pouvoir personnel pour orienter les êtres en fonction de leur propre essence.

LA LIBÉRATION

Ce transfert et cette orientation sur différents points, c'est l'élément Air qui s'installe même dans le corps physique, dans la physicalité. Orientation des êtres vers la Libération. **Ce grand courant de votre oeuvre, qui est double, est d'amener les êtres vers la Libération**. La Libération est ce que vous faites vous-même pour vous-même. Ce que vous avez à communiquer, transmettre, transférer. Quel que soient votre plan de conscience, l'utilisation de votre corps, de votre coeur et de votre esprit. Nous vous parlons d'état second, d'état de veille, c'est la même chose chez vous.

Oeuvre dont l'action réelle, quotidienne, dans le corps, dans la matière, permettra aux êtres de se libérer, d'atteindre des niveaux de grande souplesse de leur corps, de grande souplesse émotive et de grande souplesse spirituelle. C'est une expansion de la vision des êtres, provoquée par une Libération, un assouplissement de leurs valeurs, de leurs structures, de leurs noeuds. Une orientation fort présente, presque incisive par moments, mais qui n'accapare pas les êtres. Vous voyez la nuance entre la structure qui amène les êtres à se laisser diriger, à perdre leur autonomie et l'orientation directrice qui propose, avec assez d'incisivité, mais qui ne demande pas d'adhésion.

Cela est associé à votre oeuvre avec beaucoup d'amour. La période qui suivra, le thème en sera l'Amour, suivi du service aux autres. Nous ne parlons pas d'esclavage, nous parlons du service, le don. C'est tout le début du millénaire suivant.

Les êtres traversent le millénaire avec beaucoup de confusion. C'est pourquoi nous vous disons qu'il y a nécessité que les dirigeants, les orienteurs soient en place. Non pas dans cette sensation d'Amour où les êtres sentent qu'ils ont une Liberté telle qu'ils s'y perdent. La Liberté n'a rien à voir avec la route. Les orienteurs doivent présenter des routes très précises en laissant la liberté de l'emprunt de la route. C'est ce qui manqua durant les dernières années dans votre environnement. Laissez la route. Identifiez une route avec beaucoup de précision, une certaine direction. Poussez les êtres mais ne les attachez pas.

SAMSARAH
rainbow planet

BUTS ET RÉSULTATS DE LA PRATIQUE DES RITUELS

1. EN GÉNÉRAL

- Se réconcilier avec l'Incarnation
- Transmuter et reprogrammer le code génétique et l'ADN cellulaires
- Atteindre la Libération, la Réalisation de Soi et l'Individuation de son Être
- Contribuer à la Libération planétaire
- Participation à l'éveil de la Conscience planétaire
- Retrouver et manifester son Potentiel originel
- Transmuter son héritage généalogique codé dans ses cellules
- Briser les cycles de transmission de la bêtise humaine

2. LE CERCLE DE VIE CONSCIENTE DES CHAKRAS

- Explorer et unifier les chakras de chacun des corps suivants: physique, cosmique, divin, spirituel
- Explorer, autoguérir et transmuter nos origines terrestres et cosmiques
- Favoriser la circulation de l'énergie terrestre et cosmique
- Créer l'Unification de son Être
- Manifester le Divin dans la Matière

3. LE CERCLE DE VIE CONSCIENTE DES CORPS

- Explorer et unifier les corps suivants: physique, cosmique, divin, spirituel
- Explorer, autoguérir et transmuter nos origines terrestres et cosmiques
- Favoriser la circulation de l'énergie terrestre et cosmique
- Créer l'Unification de son Être
- Manifester le Divin dans la Matière

4. LE SERPENT COSMIQUE

- Explorer la cellule microcosmique
- Reprogrammer l'ADN et le code génétique cellulaires

5. LES EXPLORATIONS MULTIDIMENSIONNELLES

- Créer et Explorer de nouveaux espaces pour les connaître, les accueillir, les guérir, y trouver des connaissances, des enseignements, etc.
- Ex: La pyramide des acquis; la caverne des mémoires; les scénarios du futur; l'ascension; la multidimensionalité; la multilocation; la médiumnité; l'abondance; le Yin et le Yang; la créativité; la sexualité; les Passeurs d'Âmes après le Passage; l'Amour; la manifestation; la santé; le pardon; la confiance; la reconnaissance de soi; etc.
- Créer sans limites
- Dépasser ses limites dans le but d'apporter un "plus" à sa vie

6. LES MÉMOIRES DE VIES DE PASSEUR

- Contacter les vies les plus importantes où vous avez été Passeur de Terre, Passeur d'âmes, Initiateur des Passages, n'importe où dans le temps et l'espace:
- Un Passeur qui préparait au Passage de la Mort
- Un Passeur qui accompagnait durant le Passage de la Mort
- Un Passeur qui accompagnait l'âme après le Passage, dans l'autre vie, dans l'Au-delà
- Un Passeur qui accompagnait l'âme vers l'incarnation et la naissance sur Terre ou ailleurs
- Un Passeur qui accompagnait les âmes à traverser les Passages de la vie incarnée
- Guérir l'âme à n'importe quelle étape de son cycle de vie
- Ouvrir les mémoires cellulaires
- Faire des liens entre les vies passées et la vie actuelle
- Récupérer des connaissances, des rituels qui pourraient s'adapter à la vie d'aujourd'hui

7. LE TOTEM ÉNERGÉTIQUE

- Favoriser l'Unification et l'Intégration verticale de l'Être
- Détecter le parasitage, le vampirisme énergétique, les coupures, les séparations, les destructions des différentes composantes de la structure énergétique de l'Être
- Autoguérir la Séparation entre le divin et l'humain en soi

Méthodologie

- Lire le texte de chacun des exercices
- Enregistrer le texte soi-même, lentement, sur cassette audio, un exercice à la fois
- Laisser du temps et des espaces de silence entre les étapes de chacun des exercices
- Expérimenter les exercices en écoutant la cassette audio (ou le DC) dans un endroit tranquille, en état de détente
- Prendre des notes et dessiner à la suite de chacun des exercices

N.B. ***SI VOUS PRÉFÉREZ UTILISER LES CASSETTES AUDIO PRÉ-ENREGISTRÉES DE CHACUN DES EXERCICES, VOUS POUVEZ LES COMMANDER. VOIR LE BON DE COMMANDE À LA FIN DU LIVRE.***

Recommandations

- Ne jamais utiliser en conduisant une auto
- Expérimenter un exercice par jour ou par semaine tout au plus, car il faut prendre le temps d'intégrer
- Tous les exercices peuvent être répétés autant de fois que vous en sentez le besoin

Notez bien:

- Des Passeurs de Terre formés à La Méthode Samsarah en Europe et en Amérique peuvent vous accompagner pour expérimenter ces Rites de Passages. La liste des Passeurs diplômés, dans votre pays ou région, peut vous être fournie sur demande à l'adresse ci-après:

SAMSARAH rainbow planet
Sarah Diane Pomerleau
C.P. 312, St-Jean-sur-Richelieu
Québec, Canada J3B 6Z5
Téléphone: 450-358-5530
Télécopieur: 450-359-1165
courriel: samsarah49@hotmail.com

I

Préparation et détente

En ce temps-ci les unions sont temporaires ou éternelles. Elles se mettent en place pour permettre à chacun de vivre son passage.

***

Lire - Enregistrer - Expérimenter - Noter - Dessiner

*(*Lorsque vous enregistrez le texte, laissez du temps et des espaces de silence entre les étapes de chacun des exercices.)*

- Prends le temps de t'installer confortablement, de te centrer, de t'intérioriser, de respirer profondément et de laisser aller toutes tes tensions et tes appréhensions. Prépare-toi à vivre une Exploration Consciente des Passages.
- Amène ton attention à tes racines sous tes pieds, et laisse-les descendre profondément dans la Terre.
- Prends conscience de la Source de Chi terrestre à quelque distance sous tes pieds. Vérifie si elle existe, si elle est allumée et si elle est suffisamment grande. Elle peut ressembler à un soleil. Sinon agis en conséquence: crée-la, allume-la, agrandis-la. Observe la ou les couleurs. C'est la Source primordiale de l'individualité. Ta pile énergétique Yin.
- Tire deux rayons de lumière de ta Source de Chi terrestre, laisse-les monter vers tes pieds et se connecter aux deux gros chakras au centre de tes pieds, dans la plante des pieds.
- Les chakras de tes pieds, comme tous les autres chakras de ton corps physique, sont doubles, l'un dessous, l'autre dessus le pied. Vérifie leurs couleurs, leur connexion, leur luminosité.

• Laisse monter les deux rayons de lumière vers les chakras de tes chevilles, l'un devant, l'autre derrière, puis le long de tes jambes devant et derrière.
• Laisse les rayons de lumière relier les chakras de tes genoux et de tes cuisses, avant et arrière, jusqu'aux petits chakras connecteurs entre la cuisse et le tronc. Observe les couleurs et intensifie leur luminosité.
• À partir des connecteurs, laisse les rayons de lumière se relier aux chakras de la base devant et derrière. Observe les couleurs et intensifie la lumière.

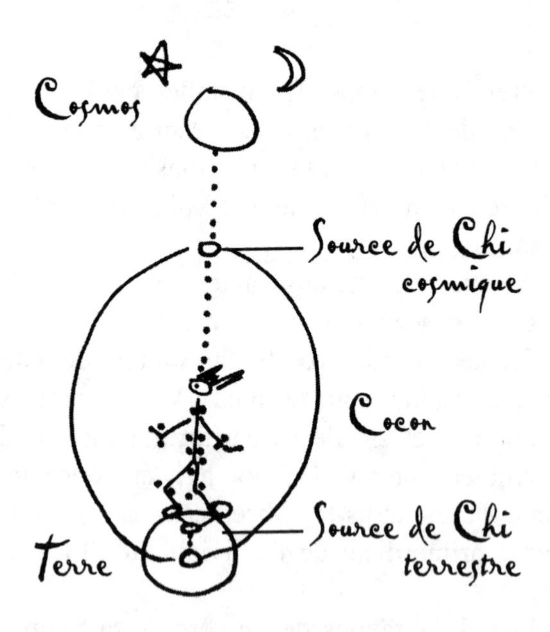

• Amène le rayon de lumière du chakra arrière de la base vers la base de la colonne vertébrale, au coccyx. Vérifie s'il y a un lien à la base de la colonne vertébrale qui te relie à une énergie collective. Si oui, coupe-le avec des ciseaux de lumière, d'or ou d'argent vif et remplace-le par un chakra que tu crées (voir Annexes), à la base de la colonne vertébrale. Ce lien au collectif empêche ton processus d'individuation, ton autonomie.

- Maintenant, amène les deux rayons de lumière de ta base, l'un vers l'avant jusqu'au hara, l'autre vers l'arrière jusqu'au hara du dos, en passant par le chakra à la base de la colonne vertébrale. Observe les couleurs et intensifie la lumière.
- Puis relie les chakras du hara aux chakras du plexus solaire. Observe les couleurs et intensifie la lumière. Si tu aperçois des chakras secondaires qui se dessinent, relie-les tout simplement aux plus grands.
- Amène les rayons de lumière des chakras du plexus jusqu'aux chakras du coeur avant et arrière. Relie les bras qui sont le prolongement du coeur, en connectant les chakras des épaules, des bras, des coudes, des avant-bras, des poignets, des mains, des doigts, avant et arrière. Observe les couleurs et intensifie la lumière. Le coeur est le plus vaste chakra.
- Puis relie les chakras du coeur et des bras au cou, en avant au chakra de la gorge et à l'arrière au chakra de la nuque. Observe les couleurs et intensifie la lumière.
- Laisse monter les rayons de lumière vers les chakras intérieurs de la bouche et vers le troisième oeil en avant, puis vers le chakra de la lune (l'occiput) à l'arrière. Puis relie-les tous au centre du cerveau au chakra qui correspond à la glande pinéale.
- Maintenant laisse les rayons de lumière relier en avant le troisième oeil au sonar (chakra en haut du front) et au soleil de la couronne sur le dessus de la tête. Puis le rayon du chakra de la lune relie le chakra arrière de la tête (qui correspond à la tonsure des moînes) au soleil de la couronne. Relie tous ces chakras au soleil au centre du cerveau (glande pinéale). Observe les couleurs et intensifie la lumière.
- Intensifie maintenant l'énergie de la Source de Chi terrestre sous tes pieds et laisse-la circuler de haut en bas dans tous les chakras que tu viens de relier. Observe que certains

se mettent à émaner de ton corps tels des rayons lazers.

- Maintenant, les rayons de lumière se rejoignent dans le chakra de la couronne et forment un pilier de lumière qui monte vers le haut au-dessus de la tête. Ce rayon (canal, tube, pilier) en montant relie entre eux tous les chakras supérieurs jusqu'au plus haut auquel tu as accès consciemment en ce moment. Celui-ci peut se nommer ton soleil personnel ou ta Source de Chi Cosmique, ta pile Yang. Lorsque tu le connectes aux autres chakras, il intensifie sa lumière qui rejaillit comme l'eau d'une fontaine de lumière autour de toi et crée ainsi un cocon de lumière dont les rayons viennent se connecter à la Source de Chi terrestre sous tes pieds.
- Pendant quelques instants, laisse s'intensifier et circuler l'énergie entre les deux sources de Chi, terrestre et céleste. Elles sont comme des piles Yin et Yang, comme des polarités qui, lorsqu'elles se touchent activent l'énergie.

NOTES *(Noter ci-après ou faire des photocopies. Par la suite, dessiner.)*

VOYAGE INTÉRIEUR

La Source de Chi terrestre:

Les chakras des pieds:

Les chakras des chevilles:

Les chakras des genoux et des cuisses:

Les chakras de la base devant et derrière:

Le chakra à la base de la colonne vertébrale, au coccyx:

____

____

____

Le lien au collectif:

____

____

____

Les chakras du hara:

____

____

____

Les chakras du plexus solaire:

____

____

____

Les chakras du coeur avant et arrière:

____

____

____

Les chakras des épaules, des bras, des coudes, des avant-bras, des poignets, des mains, des doigts, avant et arrière:

____

____

____

Les chakras de la gorge et de la nuque:

Les chakras intérieurs de la bouche:

Le chakra du troisième oeil:

Le chakra de la lune (l'occiput):

Le chakra au centre du cerveau (la glande pinéale):

Le chakra du sonar
(chakra en haut du front):

Le chakra de la couronne:

___

___

___

Le chakra arrière de la tête (qui correspond à la tonsure des moînes):

___

___

___

Le pilier de lumière (canal, tube):

___

___

___

La Source de Chi Cosmique:

___

___

___

Le cocon de Lumière:

___

___

___

Dessin:

2
Le Cercle de Vie consciente des Chakras

Suis-moi et laisse les morts ensevelir leurs morts.

Mathieu 8: 22

***

Le but de cet exercice est d'explorer et d'unifier
un des chakras de chacun des corps suivants:
physique, cosmique, divin, spirituel.

C'est aussi l'exploration, l'autoguérison et la
transmutation de nos origines terrestres et cosmiques.

***

Lire - Enregistrer - Expérimenter - Noter - Dessiner

*(*Lorsque vous enregistrez le texte, laissez du temps et des espaces de silence entre les étapes de chacun des exercices.)*

LE LIEU D'INITIATION AUX PASSAGES

- Prends le temps de t'installer confortablement, de te centrer, de t'intérioriser, de respirer profondément et de laisser aller toutes tes tensions et tes appréhensions. Prépare-toi à vivre une Exploration Consciente des Passages.
- Tout en te reposant dans ton cocon de lumière, prends le temps d'établir un climat de confiance avec ton âme qui te guide dans le Passage car elle a fait le Passage maintes fois.
- Établis un climat de confiance avec tes guides, la Source, les Maîtres du Passage et avec moi qui t'accompagne.
- Quand tu es prêt(e), rends-toi, par bilocation (dédoublement), à un lieu consacré aux Initiations des Passages sur Terre. Relie ton cocon à ce lieu par un pont de lumière.

• Quand tu seras dans ce lieu, dis-le moi et décris-le. Prends le temps de ressentir les énergies présentes en ce lieu et de t'y harmoniser. Trouve un espace confortable pour t'y installer. Prépare-toi à rencontrer tes guides.
• Lorsque tes guides sont présents dis-le moi et décris-les. Établis la communication vibratoire avec eux et prends quelques instants pour échanger au sujet de ta vie actuelle ou de cette Exploration des Passages. S'ils ont des messages ou de l'information pour toi et que tu veux la partager, je t'écoute.

L'ESPACE DU CERCLE DE VIE CONSCIENTE DES CHAKRAS

• Quand tu es prêt(e), rends-toi dans l'espace du Cercle de Vie consciente des Chakras. Lorsque tu y es, décris-le. Trouve un espace confortable et installe-toi.
• Prends le temps de contacter l'état d'être dans lequel tu serais si tu t'apprêtais à faire le Passage et à quitter le plan terrestre dans un court laps de temps.

1. EXPLORATION DU CHAKRA AVANT

• Demande à ton âme et à tes guides, lequel de tes chakras a besoin d'être visité aujourd'hui. Imagine devant toi un écran géant style IMAX. Sur l'écran se projette la façade extérieure de ton chakra AVANT. Décris-la (Couleurs, forme, texture). Rappelle-toi que la forme du chakra peut être réelle (énergie) ou symbolique (ex.: une maison).
• Y a-t-il une entrée ou une porte à ton chakra? Si oui, prépare-toi à entrer, si non, crée une entrée ou une porte. Quand tu es prêt(e), seul ou en compagnie de tes guides, entre dans ton chakra. Décris ce que tu perçois.
• Débute maintenant l'exploration du chakra AVANT. Voici les consignes: répare ce qui est détruit, rénove ce qui est vieilli ou désuet, embellis ce qui est laid, agrandis ce qui est étroit, nettoie ce qui est sale, allume ce qui est éteint,

transforme ce qui est inapproprié, crée ce qui n'existe pas, reconstruis ce qui est démantibulé.

- Reste en contact avec la partie de toi qui est guérisseur(e), alchimiste, explorateur (trice) et créateur (trice).
- Rappelle-toi que ce chakra est ton temple et que personne d'autre que toi, sans ton consentement ne doit y habiter. Donc, lorsque tu rencontres des personnes, des êtres, des animaux, des insectes ou autres présences vivantes, sois assuré(e) qu'il y a eu, qu'il y a vampirisme et parasitage énergétique... avec ton accord!!!!!!!!!!!
- Technique de déparasitage : Gèle avec la lumière bleu saphir la "chose" vivante. Questionne : Qui es-tu? Que fais-tu dans mon chakra? Depuis quand? Qui t'y a autorisé? Quelle est ton influence dans ma vie? etc. (Si tu ne questionnes pas pour devenir conscient du pattern de parasitage, la "chose" va s'installer ailleurs.)
- Lorsque tu comprends le sens du parasitage, tu peux t'en libérer en choisisant une des deux techniques (voir Annexes) de projection de la lumière: Yin (canalisation) ou Yang (boules de lumières).

EXPLORATION DU PASSAGE ENTRE LE CHAKRA AVANT ET LE CHAKRA ARRIÈRE

- Continue à explorer et nettoyer le chakra avant. Lorsque c'est complet, rends-toi au passage entre le chakra avant et le chakra arrière.
- Vérifie l'état du passage et agis en conséquence. Rappelle-toi que les chakras avant sont la relation du Je au Nous et les chakras arrière sont la relation du Je au Je. Agrandis, allume, transforme, libère le Passage. Puis traverse dans le chakra arrière.

EXPLORATION DU CHAKRA ARRIÈRE

- Explore le chakra arrière et agis de la même façon qu'en avant. Assure-toi que le chakra arrière ouvre vers l'extérieur, sinon crée une ouverture. S'il n'y a pas de chakra arrière crée-en un. Vérifie s'il y a du parasitage extérieur également et procède comme avec l'intérieur mais plus Yang. S'il y a vampirisme du collectif (ex: implant ou tentacules reliant à un égrégore collectif) utilise la technique de libération du vampirisme collectif (voir Annexes).

ALLUMER LE CHAKRA

• À présent que les chakras avant et arrière sont libérés, il faut les allumer. Allume le centre de chacun des chakras. Installe des pierres précieuses ou des cristaux ou des diamants au centre. Active-les par ta lumière. Des faisceaux de lumière devraient jaillir vers la porte arrière, la porte avant, en haut et en bas et un faisceau qui connecte les deux.

• Quand c'est terminé, rends-toi dans le passage qui correspond au canal (tube, shushumna) et utilise-le comme ascenseur de lumière.

2. EXPLORATION DES RACINES TERRESTRES

• Prends l'ascenseur de lumière au coeur du chakra (le canal) et descends dans tes racines. Explore tes racines jusqu'au coeur de la Terre. Ouvre, nettoie, illumine, renforce, crée tes racines.

3. LA SOURCE TERRESTRE

• Traverse le centre de la Terre avec tes racines. Prends le temps de t'y ressourcer.

4. EXPLORATION DU CHAKRA DE GAÏA

• Présente-toi devant la façade du chakra correspondant de Gaïa et demande la permission d'entrer. Explore et fais ce qu'il y a à faire. (Comme dans ton chakra physique). Gaïa, l'Esprit de la Terre, peut se présenter sous la forme d'une femme ou d'un lieu géographique de la Terre.

5. EXPLORATION DE NOS ORIGINES TERRESTRES

- Sors du chakra de Gaïa et laisse tes racines traverser l'écorce terrestre jusqu'à la surface. Demande à tes racines de t'emmener à l'origine de tes racines terrestres (pays, continent). Une de tes premières vies incarnées sur la Terre. Explore, guéris et réintégre tes origines terrestres.

6. EXPLORATION DES RACINES COSMIQUES

- Remonte vers le cosmos à l'aide de tes racines terrestres et va les connecter à tes racines cosmiques.

7. EXPLORATION DE NOS ORIGINES COSMIQUES

- Rends-toi à tes origines cosmiques. Un de tes lieux d'origine cosmique. Explore, guéris et réintègre tes origines cosmiques.

8. EXPLORATION DU CHAKRA DU CORPS COSMIQUE UNIVERSEL

- Puis présente-toi devant la façade du chakra correspondant du corps cosmique universel et demande la permission d'entrer. Explore et fais ce qu'il y a à faire.

9. LA SOURCE DIVINE

- Sors du chakra du Cosmos, et rends-toi au centre de l'Univers (la Source Divine) avec tes racines. Prends le temps de t'y ressourcer. Intègre.

10. EXPLORATION DU CHAKRA DU CORPS SPIRITUEL

- Laisse tes racines redescendre et venir se connecter au chakra correspondant de ton corps spirituel. Présente-toi devant la façade du chakra spirituel correspondant, quelque part au-dessus de ta tête. Explore et fais ce qu'il y a à faire.
- Connecte le coeur du chakra spirituel au coeur du chakra physique d'où tu es parti pour faire ce Cercle de Vie.

Redescends dans l'ascenseur de lumière de ton canal et reviens à ton point de départ dans le corps physique.

- Respire profondément à quelques reprises en visualisant le Cercle en couleurs pour intégrer le processus.

LE RETOUR

- Sors du chakra par où tu es entré(e). Reviens à l'espace du Cercle de Vie, puis au lieu d'Initiation aux Passages et traverse le sas de purification. Reviens à la réalité physique.

NOTES *(Noter ci-après ou faire des photocopies. Par la suite, dessiner.)*

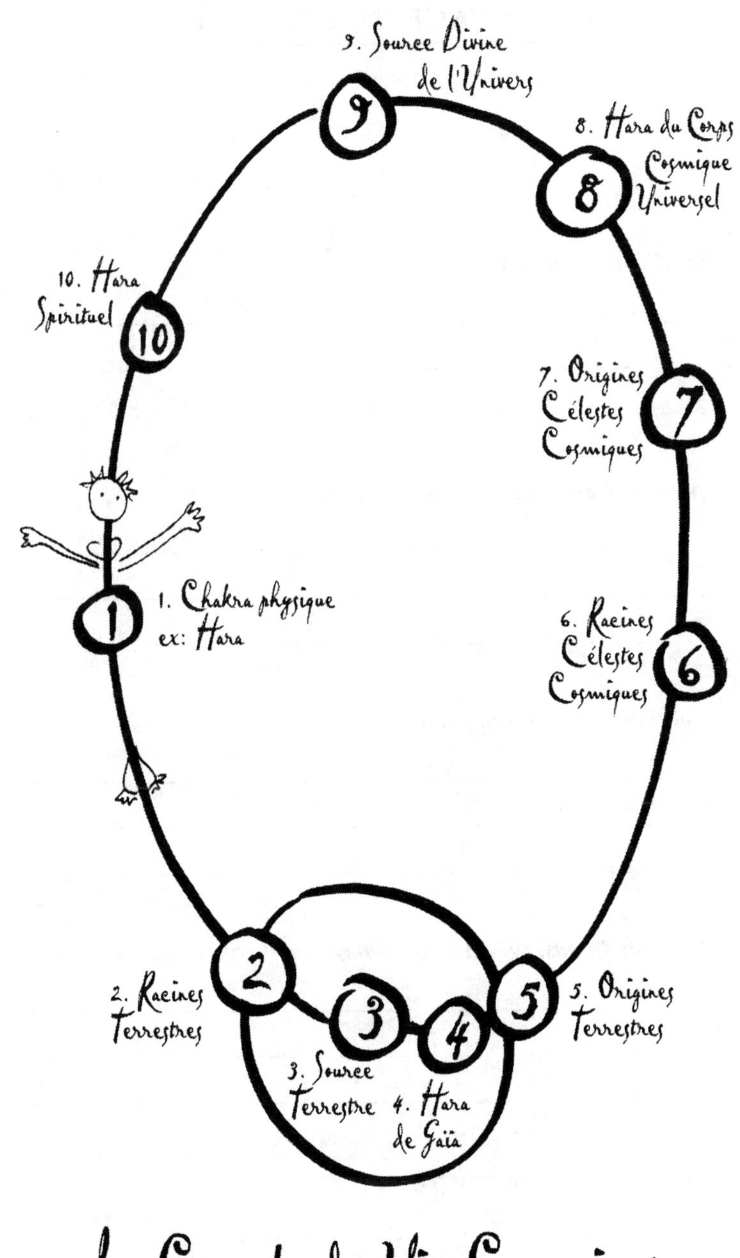

Le Cercle de Vie Consciente

VOYAGE INTÉRIEUR

Le lieu d'Initiation aux Passages:

L'espace du Cercle de Vie consciente des Chakras:

1. Exploration du chakra avant:

Exploration du passage entre le chakra avant et le chakra arrière:

Exploration du chakra arrière:

Allumer le chakra:

2. Exploration des racines terrestres:

3. La Source Terrestre:

4. Exploration du chakra de Gaïa:

5. Exploration de nos origines terrestres:

6. Exploration des racines cosmiques:

7. Exploration de nos origines cosmiques:

8. Exploration du chakra du Corps Cosmique Universel:

9. La Source Divine:

10. Exploration du chakra du corps spirituel:

Le retour:

Dessin:

3
Le Cercle de Vie consciente des Corps

Nous ne cesserons jamais d'explorer.
À la fin de nos explorations,
Nous arriverons au point de départ
Et nous connaîtrons le lieu pour la première fois.

Sedona Sacred Earth, Nicholas R. Mann
Brotherhood of Life Publishing, Albuquerque,
New Mexico, 1997

***

Le but de cet exercice est d'explorer et d'unifier une des parties de chacun des corps suivants: physique, cosmique, divin, spirituel.

C'est aussi l'exploration, l'autoguérison et la transmutation de nos origines terrestres et cosmiques.

***

Lire - Enregistrer - Expérimenter - Noter - Dessiner

*(*Lorsque vous enregistrez le texte, laissez du temps et des espaces de silence entre les étapes de chacun des exercices.)*

LE LIEU D'INITIATION AUX PASSAGES

- Prends le temps de t'installer confortablement, de te centrer, de t'intérioriser, de respirer profondément et de laisser aller toutes tes tensions et tes appréhensions. Prépare-toi à vivre une Exploration Consciente des Passages.
- Tout en te reposant dans ton cocon de lumière, prends le temps d'établir un climat de confiance avec ton âme qui te

guide dans le Passage car elle a fait le Passage maintes fois.

• Établis un climat de confiance avec tes guides, la Source, les Maîtres du Passage et avec moi qui t'accompagne.

• Quand tu es prêt(e), rends-toi, par bilocation (dédoublement), à un lieu consacré aux Initiations des Passages sur Terre. Relie ton cocon à ce lieu par un pont de lumière.

• Quand tu seras dans ce lieu, dis-le moi et décris-le. Prends le temps de ressentir les énergies présentes en ce lieu et de t'y harmoniser. Trouve un espace confortable pour t'y installer. Prépare-toi à rencontrer tes guides.

• Lorsque tes guides sont présents dis-le moi et décris-les. Établis la communication vibratoire avec eux et prends quelques instants pour échanger au sujet de ta vie actuelle ou de cette Exploration des Passages. S'ils ont des messages ou de l'information pour toi et que tu veux la partager, je t'écoute.

L'ESPACE DU CERCLE DE VIE CONSCIENTE DES CORPS

• Quand tu es prêt(e), rends-toi dans l'espace du Cercle de Vie consciente des Corps. Lorsque tu y es, décris-le. Trouve un espace confortable et installe-toi.

• Prends le temps de contacter l'état d'être dans lequel tu serais si tu t'apprêtais à faire le Passage et à quitter le plan terrestre dans un court laps de temps.

1. EXPLORATION D'UNE PARTIE DU CORPS PHYSIQUE

• Demande à ton âme et à tes guides, quelle partie de ton corps a besoin d'être visitée aujourd'hui. Imagine devant toi un écran géant style IMAX. Sur l'écran se projette la façade extérieure de cette partie de ton corps (ex : le foie). Décris-la (Couleurs, forme, texture). Rappelle-toi que la forme peut être réelle ou symbolique (ex. : une maison).

- Y a-t-il une entrée ou une porte? Si oui, prépare-toi à entrer, si non, crée une entrée ou une porte. Quand tu es prêt(e), seul(e) ou en compagnie de tes guides, entre. Décris ce que tu perçois.
- Débute maintenant l'exploration de cette partie du corps. Voici les consignes: répare ce qui est détruit, rénove ce qui est vieilli ou désuet, embellis ce qui est laid, agrandis ce qui est étroit, nettoie ce qui est sale, allume ce qui est éteint, transforme ce qui est inapproprié, crée ce qui n'existe pas, reconstruis ce qui est démantibulé.
- Reste en contact avec la partie de toi qui est guérisseur(e), alchimiste, explorateur (trice) et créateur (trice).
- Rappelle-toi que ton corps est ton temple et que personne d'autre que toi, sans ton consentement ne doit y habiter. Donc, lorsque tu rencontres des personnes, des êtres, des animaux, des insectes ou autres présences vivantes, sois assuré(e) qu'il y a eu, qu'il y a vampirisme et parasitage énergétique... avec ton accord!!!!!!!!!!!
- Technique de déparasitage: Gèle avec la lumière bleu saphir la "chose" vivante. Questionne : Qui es-tu? Que fais-tu dans mon corps? Depuis quand? Qui t'y a autorisé? Quelle est ton influence dans ma vie? etc. (Si tu ne questionnes pas pour devenir conscient du pattern de parasitage, la "chose" va s'installer ailleurs).
- Lorsque tu comprends le sens du parasitage, tu peux t'en libérer en choisisant une des deux techniques (voir Annexes) de projection de la lumière: Yin (canalisation) ou Yang (boules de lumières).
- Continue à explorer et nettoyer la partie du corps : agrandis, allume, transforme, libère. Assure-toi de l'ouverture des portes s'il y a lieu.
- Vérifie s'il y a du parasitage extérieur également et procède comme avec l'intérieur mais plus Yang. S'il y a vampirisme du collectif (ex : implant ou tentacules reliant à un égrégore collectif) utilise la technique de libération du vampirisme collectif (voir Annexes).

ALLUMER LA PARTIE DU CORPS

- À présent que la partie du corps est libérée, il faut l'allumer. Allume le centre en installant des pierres précieuses ou des cristaux ou des diamants. Active-les par ta lumière. Des faisceaux de lumière devraient jaillir vers les portes, en haut et en bas.
- Quand c'est terminé, rends-toi au canal (tube, shushumna) et utilise-le comme ascenseur de lumière.

2. EXPLORATION DES RACINES TERRESTRES

- Prends l'ascenseur de lumière (le canal) et descends dans tes racines. Explore tes racines jusqu'au coeur de la Terre. Ouvre, nettoie, illumine, renforce, crée tes racines.

3. LA SOURCE TERRESTRE

- Traverse le centre de la Terre avec tes racines. Prends le temps de t'y ressourcer.

4. EXPLORATION DU CORPS DE GAÏA

- Présente-toi devant la façade correspondante de la partie du corps de Gaïa et demande la permission d'entrer. Explore et fais ce qu'il y a à faire (comme dans ton corps physique). Gaïa, l'Esprit de la Terre, peut se présenter sous la forme d'une femme ou d'un lieu géographique de la Terre.

5. EXPLORATION DE NOS ORIGINES TERRESTRES

- Sors du corps de Gaïa et laisse tes racines traverser l'écorce terrestre jusqu'à la surface. Demande à tes racines de t'emmener à l'origine de tes racines terrestres (pays, continent). Une de tes premières vies incarnées sur la Terre. Explore, guéris et réintègre tes origines terrestres.

6. EXPLORATION DES RACINES COSMIQUES

- Remonte vers le cosmos à l'aide de tes racines terrestres et va les connecter à tes racines cosmiques.

7. EXPLORATION DE NOS ORIGINES COSMIQUES

- Rends-toi à tes origines cosmiques. Un de tes lieux d'origine cosmique. Explore, guéris et réintègre tes origines cosmiques.

8. EXPLORATION DU CORPS COSMIQUE UNIVERSEL

- Puis présente-toi devant la façade correspondante de la partie du Corps Cosmique Universel et demande la permission d'entrer. Explore et fais ce qu'il y a à faire.

9. LA SOURCE DIVINE

- Sors du Corps Cosmique, et rends-toi au centre de l'Univers (la Source Divine) avec tes racines. Prends le temps de t'y ressourcer. Intègre.

10. EXPLORATION DU CORPS SPIRITUEL

- Laisse tes racines redescendre et venir se connecter à la partie correspondante de ton corps spirituel. Présente-toi devant la façade de la partie du corps correspondant, quelque part au-dessus de ta tête. Explore et fais ce qu'il y a à faire.
- Connecte le coeur de la partie du Corps spirituel au coeur de la partie physique d'où tu es parti pour faire ce Cercle de Vie. Redescends dans l'ascenseur de lumière de ton canal et reviens à ton point de départ dans le corps physique.
- Respire profondément à quelques reprises en visualisant le Cercle en couleur pour intégrer le processus.

LE RETOUR

- Sors de la partie du corps physique par où tu es entré(e). Reviens à l'espace du Cercle de Vie, puis au lieu d'Initiation aux Passages et traverse le sas de purification. Reviens à la réalité physique.

NOTES *(Noter ci-après ou faire des photocopies. Par la suite, dessiner.)*

VOYAGE INTÉRIEUR

Le lieu d'Initiation aux Passages:

___

___

___

L'espace du Cercle de Vie consciente des Corps:

___

___

___

1. Exploration de la partie du corps physique:

___

___

___

Allumer la partie du corps physique:

___

___

___

2. Exploration des racines terrestres:

___

___

___

3. La Source Terrestre:

____

____

____

4. Exploration du corps de Gaïa:

____

____

____

5. Exploration de nos origines terrestres:

____

____

____

6. Exploration des racines cosmiques:

____

____

____

7. Exploration de nos origines cosmiques:

____

____

____

8. Exploration du Corps Cosmique Universel:

____

____

____

9. La Source Divine:

____

____

____

10. Exploration du chakra du Corps spirituel:

____

____

____

Le retour:

____

____

____

Dessin:

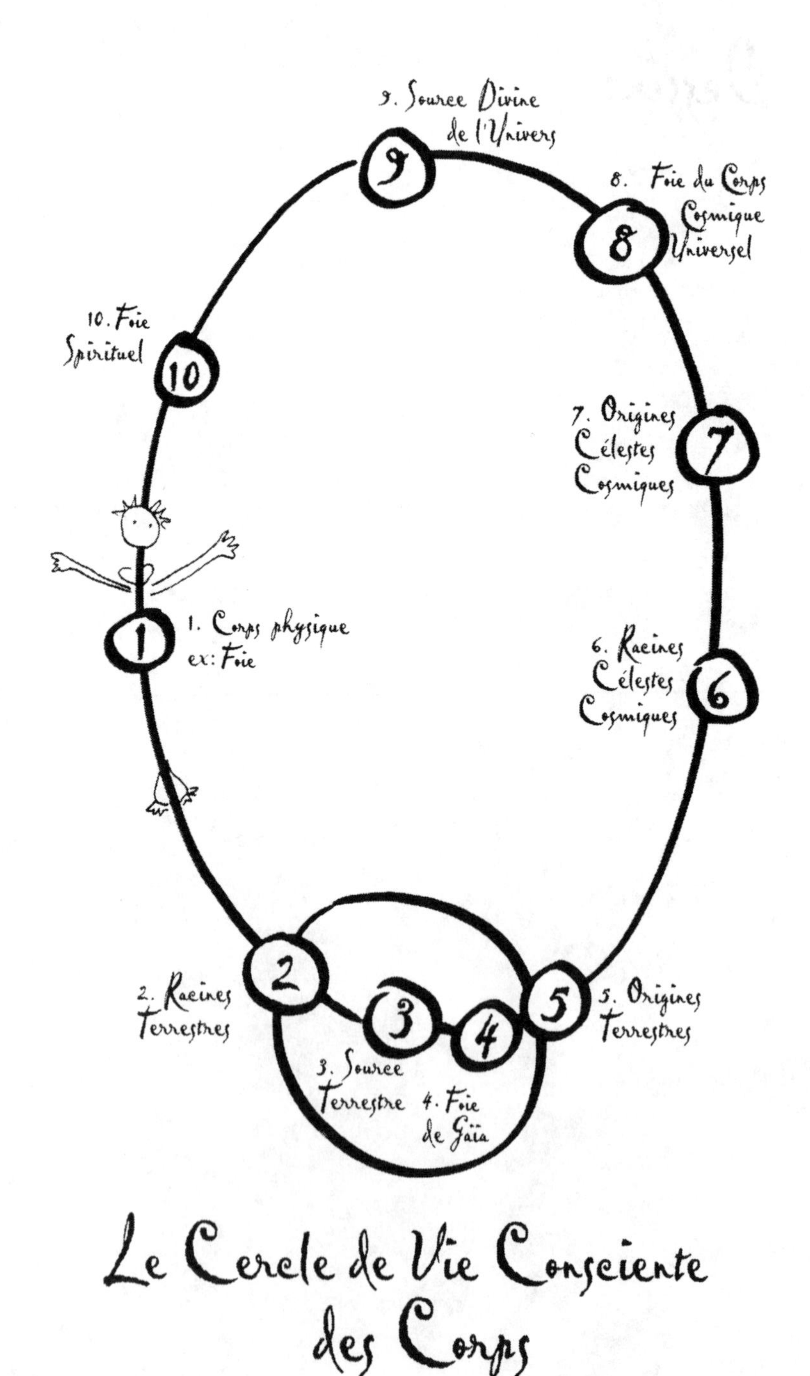

Le Cercle de Vie Consciente des Corps

4

Le Code Génétique et l'ADN

Nous serons Maîtres lorsque nous deviendrons, en tout temps, l'expression vivante de l'Amour inconditionnel, du non-jugement et de la Compassion, envers soi-même et envers tous les êtres et toutes les manifestations de la Vie. Je n'en ai, à ce jour, rencontré aucun.

***

Le but de cet exercice est l'Exploration de la Cellule microcosmique, de l'ADN, du Code génétique.

EXERCICES PRÉPARATOIRES DE RÉFLEXION:

A. Quelle est ta vision du macrocosme/microcosme, du Code génétique, de l'ADN. Prends quelques minutes pour méditer sur le sujet puis dessine ta vision.

____

____

____

____

____

____

____

____

____

DESSIN A

B. Qui sont tes guides de l'ADN et du Code génétique? Prends quelques minutes pour méditer sur le sujet puis dessine ta vision.

____

____

____

____

____

____

____

____

____

____

DESSIN B

C. Quelle est leur vision de l'ADN et du Code génétique? Prends quelques minutes pour méditer sur le sujet puis dessine leur vision.

___

___

___

___

___

___

___

___

___

___

DESSIN C

Le Serpent
Cosmique

Lire - Enregistrer - Expérimenter - Noter - Dessiner

*(*Lorsque vous enregistrez le texte, laissez du temps et des espaces de silence entre les étapes de chacun des exercices.)*

LE LIEU D'INITIATION AUX PASSAGES

- Prends le temps de t'installer confortablement, de te centrer, de t'intérioriser, de respirer profondément et de laisser aller toutes tes tensions et tes appréhensions. Prépare-toi à vivre une Exploration Consciente des Passages.
- Tout en te reposant dans ton cocon de lumière, prends le temps d'établir un climat de confiance avec ton âme qui te guide dans le Passage car elle a fait le Passage maintes fois.
- Établis un climat de confiance avec tes guides, la Source, les Maîtres du Passage et avec moi qui t'accompagne.
- Quand tu es prêt(e), rends-toi, par bilocation (dédoublement), à un lieu consacré aux Initiations des Passages sur Terre. Relie ton cocon à ce lieu par un pont de lumière.
- Quand tu seras dans ce lieu, dis-le moi et décris-le. Prends le temps de ressentir les énergies présentes en ce lieu et de t'y harmoniser. Trouve un espace confortable pour t'y installer. Prépare-toi à rencontrer tes guides.
- Lorsque tes guides sont présents dis-le moi et décris-les. Établis la communication vibratoire avec eux et prends quelques instants pour échanger au sujet de ta vie actuelle ou de cette Exploration des Passages. S'ils ont des messages ou de l'information pour toi et que tu veux la partager, je t'écoute.

L'ESPACE DU SERPENT COSMIQUE, DE L'ADN, DU CODE GÉNÉTIQUE

- Quand tu es prêt(e), rends-toi dans l'espace du Serpent cosmique, de l'ADN, du Code génétique. Lorsque tu y es, décris-le. Trouve un espace confortable et installe-toi.
- Prends le temps de contacter l'état d'être dans lequel tu serais si tu t'apprêtais à faire le Passage et à quitter le plan terrestre dans un court laps de temps.

EXPLORATION DE LA CELLULE, DU CODE GÉNÉTIQUE, DE L'ADN

- Demande à ton âme et à tes guides laquelle de tes cellules a besoin d'être visitée aujourd'hui. Imagine devant toi un écran géant style IMAX. Sur l'écran se projette la façade extérieure de ta cellule. Décris-la (couleurs, forme, texture). Rappelle-toi que la forme de la cellule peut être réelle (énergie) ou symbolique (ex. : une maison, une porte).
- Y a-t-il une entrée ou une porte à ta cellule? Si oui, prépare-toi à entrer, si non, crée une entrée ou une porte. Quand tu es prêt(e), seul(e) ou en compagnie de tes guides, entre dans ta cellule. Décris ce que tu perçois du microcosme.

LES HOLOGRAMMES

- Débute maintenant l'exploration de la Cellule. À l'aide des hologrammes, demande à recevoir une vision claire des situations suivantes:
- Tes mémoires de Séparation, de destruction, de coupure du Code génétique originel divin et de l'ADN. Quand et comment as-tu été coupé de ton Code originel? Décris les images.
- La vision du Code génétique divin originel chez l'humain. À quoi ressemblerait un être dont le Code génétique serait intact? Décris-le.
- Les espèces vivantes qui ont encore leur Code originel, parmi les animaux, les végétaux, les minéraux. Nomme-les. Y a-t-il des humains qui l'ont conservé?

• Exprime ton intention de guérison et l'intervention appropriée pour te réapproprier ton Code génétique divin originel.
• Avant de procéder à l'intervention, demande à contacter les conséquences de l'intervention et de la réappropriation sur ta vie globale, celle de la planète et de l'univers.

**RITUEL D'INTERVENTION
SUR LE CODE GÉNÉTIQUE ET L'ADN**

• Procède à l'intervention d'auto-guérison du code génétique et de l'ADN: répare ce qui est détruit, rénove ce qui est vieilli ou désuet, embellis ce qui est laid, agrandis ce qui est étroit, nettoie ce qui est sale, allume ce qui est éteint, transforme ce qui est inapproprié, crée ce qui n'existe pas, reconstruis ce qui est démantibulé, connecte, réactive, transmute, etc.
• Reste en contact avec la partie de toi qui est guérisseur(e), alchimiste, explorateur (trice) et créateur (trice). Place tes intentions et tes reprogrammations dans ta cellule.
• Demande à ce que l'intervention sur cette cellule se répercute sur toutes tes cellules et sur toutes les parties de ton corps.
• Crée un pont de lumière avec ton Pareil de lumière (l'être que tu as déjà été dont le Code divin originel est intact) et fusionne toi avec cet être.

RETOUR

• Reviens à ton rythme dans ton lieu d'Exploration puis ton lieu sacré d'Initiation aux Passages. Avant d'entrer traverse un sas énergétique. Crée un rituel de purification qui te permet de te libérer de toutes les émotions et de tous les résidus que tu as contactés dans l'espace de la cellule.

COMPLÉTUDE

• Intègre la guérison et les transformations qui se sont

produites.

- Échange avec tes guides et ressource-toi dans ton lieu d'Initiation.
- Quand tu es prêt, reviens par bilocation à travers un pont de lumière, dans ton corps physique, dans la pièce. Prends le temps d'intégrer l'énergie et l'expérience que tu as vécues dans ton corps physique.
- Envoie de l'énergie à la Terre par tes racines. Reprends contact avec la réalité physique.

NOTES *(Noter ici-après ou faire des photocopies. Par la suite, dessiner.)*

VOYAGE INTÉRIEUR

Le lieu d'Initiation aux Passages:

____

____

____

L'espace du Serpent Cosmique, de l'ADN, du Code génétique:

____

____

____

L'Exploration de la Cellule, du Code génétique, de l'ADN:

____

____

____

Les hologrammes:

____

____

____

Tes mémoires de Séparation, de destruction, de coupure du Code génétique originel divin et de l'ADN:

____

____

____

À quoi ressemblerait un être dont le Code génétique serait intact?

Les espèces vivantes qui ont encore leur Code originel, parmi les animaux, les végétaux, les minéraux, les humains:

Intention de guérison et l'intervention appropriée:

Les conséquences de l'intervention sur ta vie globale, celle de la planète et de l'univers:

Rituel d'intervention sur le Code génétique et l'ADN:

Ton Pareil de lumière:

Le retour:

____

____

____

Complétude et Intégration:

____

____

____

5
Les Explorations Multidimensionnelles

Nous traversons des Passages jusqu'au jour où nous prenons la position témoin, la position du Boudha de la Compassion. Alors, nous commençons à regarder passer les Passages.

***

Le but de cet exercice est la Création et l'Exploration de nouveaux espaces. Par exemple:

La pyramide des acquis - La caverne des mémoires
Les scénarios du futur - L'ascension
La multidimensionalité - La multilocation
La médiumnité - L'abondance
Le Yin et le Yang
La créativité - La sexualité
Les Passeurs d'Âmes après le Passage
La manifestation - L'Amour
La santé - Le pardon
La confiance - La reconnaissance de soi, etc.

On peut créer toutes sortes d'espaces, tout ce qu'on veut. On explore ces nouveaux espaces pour les connaître, les accueillir, les guérir, y trouver des connaissances, des enseignements, etc. Il n'y a pas de limites à ce que tu peux créer. Dépasse tes limites dans le but d'apporter un "plus" à ta vie actuelle.

***

Lire - Enregistrer - Expérimenter - Noter - Dessiner

*(*Lorsque vous enregistrez le texte, laissez du temps et des espaces de silence entre les étapes de chacun des exercices.)*

LE LIEU D'INITIATION AUX PASSAGES

- Prends le temps de t'installer confortablement, de te centrer, de t'intérioriser, de respirer profondément et de laisser aller toutes tes tensions et tes appréhensions. Prépare-toi à vivre une Exploration Consciente des Passages.
- Tout en te reposant dans ton cocon de lumière, prends le temps d'établir un climat de confiance avec ton âme qui te guide dans le Passage car elle a fait le Passage maintes fois.
- Établis un climat de confiance avec tes guides, la Source, les Maîtres du Passage et avec moi qui t'accompagne.
- Quand tu es prêt(e), rends-toi, par bilocation (dédoublement), à un lieu consacré aux Initiations des Passages sur Terre. Relie ton cocon à ce lieu par un pont de lumière.
- Quand tu seras dans ce lieu, dis-le moi et décris-le. Prends le temps de ressentir les énergies présentes en ce lieu et de t'y harmoniser. Trouve un espace confortable pour t'y installer. Prépare-toi à rencontrer tes guides.
- Lorsque tes guides sont présents dis-le moi et décris-les. Établis la communication vibratoire avec eux et prends quelques instants pour échanger au sujet de ta vie actuelle ou de cette Exploration des Passages. S'ils ont des messages ou de l'information pour toi et que tu veux la partager, je t'écoute.

UN ESPACE MULTIDIMENSIONNEL

- Choisis un espace nouveau que tu veux explorer.
- Quand tu es prêt(e), rends-toi dans l'espace _______ _____________ (ex: l'abondance). Lorsque tu y es, décris-le. Trouve un endroit confortable et installe-toi.

SUGGESTION D'EXPLORATION SINON EXPLORATION INTUITIVE ET CRÉATRICE

- Fais venir à toi les personnes ou les situations reliées à cet espace.

• Nomme les personnes ou les situations qui se présentent à toi.
• Demande-leur de se présenter devant toi. Invite-les à s'asseoir en face de toi. Si c'est une situation, place-la dans une sphère de lumière.

SUGGESTION DE GUÉRISON

• Observe les liens, les ponts qui t'unissent à cette personne ou cette situation. À quels chakras sont-ils reliés? Ces ponts sont-ils fluides ou rigides? Denses ou lumineux? Décris-les. Es-tu prêt(e) à agir sur ces ponts non pour les couper mais pour les rendre plus fluides?
• Entre en contact avec la partie de toi qui est guérisseur(e). Je vais te proposer une technique simple et efficace. Demande à la Source divine d'envoyer vers toi des rayons de lumière au-dessus de ta couronne. De quelle couleur sont-ils?
• Place des intentions et des énergies dans cette lumière qui conviennent à la situation: ex. amour, guérison, détachement, etc. et nomme-les.
• Amène la lumière dans ton canal et canalise-la dans tous tes chakras: couronne, conscience, gorge, coeur, bras, plexus, hara, base, genoux, jambes, pieds, racines et toutes les cellules de tous tes corps.
• Laisse la lumière et l'énergie de guérison remplir toutes tes cellules, tout ton être. Laisse-toi baigner dans cette énergie. Permets-toi de recevoir cette énergie de guérison pour toi-même d'abord, car on ne peut donner ce que l'on n'a pas.
• Quand tu es prêt(e), projette, à travers tes chakras et tes ponts, la lumière vers la personne ou la situation.
• Observe l'action de la lumière. Observe comment la lumière agit sur les ponts et comment l'être ou la situation reçoit cette lumière.

• Accueille que son âme est libre. S'il y a résistance, tout simplement, laisse la lumière l'entourer et le moment venu, s'il choisit d'accepter la lumière pour se guérir, elle sera disponible pour lui.

• Maintenant, prépare-toi à cesser la projection de lumière. Ramène le rayon vers toi et prends le temps d'intégrer.

• Avant de quitter cet espace (le nommer) __________ _______, projette la lumière que tu canalises dans tout ton espace afin qu'elle continue à agir.

L'ESPACE DE LA PYRAMIDE
DES ACQUIS ET DES CONNAISSANCES

• Rends-toi dans une pyramide. Il se peut qu'un(e) gardien(ne) en garde l'entrée. Identifie-toi. Demande au gardien de te conduire au centre, de la pyramide de tes acquis et connaissances passées. Choisis les connaissances que tu as besoin d'explorer, de guérir ou d'intégrer.

• Explore la pyramide, ses couloirs et ses sous-sols. Découvre les acquis et les connaissances que tu as à explorer, guérir ou intégrer afin de mieux évoluer dans ta présente incarnation.

L'ESPACE DE LA CAVERNE DES
MÉMOIRES DE VIES PASSÉES OU FUTURES

• Rends-toi dans une grande caverne. Il se peut qu'un(e) gardien(ne) en garde l'entrée. Identifie-toi. Demande au gardien de te conduire au centre, là où sont assemblées tes mémoires de vies passées ou futures. Choisis les mémoires de vies que tu as besoin d'explorer, de guérir ou d'intégrer.

• Explore la caverne, ses couloirs et ses sous-sols. Découvre les mémoires de vies passées ou futures que tu as à explorer, guérir ou intégrer afin de mieux évoluer dans ta présente incarnation.

L'ESPACE DES SCÉNARIOS DU FUTUR

- Rends-toi dans un espace où se trouvent un gigantesque portail conduisant vers le futur. Il se peut qu'un(e) gardien(ne) en garde l'entrée. Identifie-toi. Demande au gardien de te laisser passer. Choisis les dates (ex: 2012) des temps du futur que tu as besoin d'explorer, de guérir ou d'intégrer. Demande des visions de ces scénarios du futur.
- Explore les couloirs de l'espace-temps de ces scénarios tant personnels que transpersonnels et planétaires. Découvre les visions que tu as à explorer, guérir ou intégrer afin de mieux évoluer dans ta présente incarnation.

RETOUR AU LIEU SACRÉ ET RITUEL DE PURIFICATION

- Reviens à ton rythme dans ton espace d'exploration multidimensionnel puis à ton lieu sacré d'Initiation aux Passages. Avant d'entrer traverse un sas énergétique. Crée un rituel de purification qui te permet de te libérer de toutes les émotions et de tous les résidus que tu as contactés dans ces espaces.

ASCENSION ET EXPLORATION D'UN ESPACE DE LUMIÈRE DE L'AU-DELÀ

- Installe-toi confortablement dans ton lieu sacré. Prépare-toi à te rendre dans un espace de l'Au-delà.
- Laisse émerger par ta couronne ton corps de lumière qui est le véhicule de ton âme. Décris-le. Vérifie s'il est relié à ton corps éthérique par ton cordon d'argent. Comment est ton cordon d'argent? Élastique et souple ou sombre et rigide? Lumineux argenté ou terne? Petit ou large de diamètre? Bien connecté aux deux corps? Décris-le. S'il est déficient, canalise la lumière argentée pour le renforcer.
- Imagine que ton corps de lumière est assis sur une plate-forme de lumière qui ascensionne doucement comme dans un ascenseur de lumière. Laisse la plate-forme de lumière

s'élever doucement au-dessus du lieu d'Initiation au rythme d'une montgolfière.

- Observe le lieu sacré et identifie l'endroit géographique: région, pays, continent, jusqu'à ce que tu perçoives la Terre comme une belle boule bleue, la planète bleue. Assure-toi de rester toujours en contact avec ton cordon d'argent.
- Fais une pause dans ton ascension et vérifie tes liens avec la Terre. À quel chakras sont-ils reliés et à quels pays? Comment sont ces liens? S'ils sont rigides, canalise et projette la lumière afin de les rendre plus fluides.
- Si tu ne ressens pas de liens, demande à ton âme de créer des liens fluides avec la Terre à partir de trois chakras minimum. Décris-les. Si tu n'arrives pas à créer de liens, demande à Gaïa de t'aider en envoyant vers toi des liens.
- Une fois les liens créés, demande à ton corps de lumière de continuer d'ascensionner tout en gardant contact avec ton cordon d'argent et tes liens avec la Terre jusqu'au dessus du système solaire.
- Vérifie tes liens avec le système solaire. À quels chakras et à quelles planètes? Sont-ils fluides ou rigides? Décris-les. Projette la lumière sur ces ponts au besoin.
- Si tu ne ressens pas de liens, demande à ton âme de créer des liens fluides avec le système solaire à partir de trois chakras minimum. Décris-les.
- Une fois les liens créés, demande à ton corps de lumière de continuer d'ascensionner tout en gardant contact avec ton cordon d'argent et tes liens avec le système solaire.
- Demande à ton âme de t'emmener maintenant dans un des espaces infinis de lumière de l'Au-delà que tu dois rencontrer aujourd'hui. Décris le chemin que tu parcours.
- Lorsque tu arrives dans cet espace, identifie-le. Demande à rencontrer les êtres qui y vivent. Établis un dialogue avec eux. Qui sont-ils? Quelle est leur fonction? Pourquoi t'ont-ils invité(e) ici aujourd'hui? etc. S'il n'y a pas d'êtres, explore.

- Permets-toi d'accueillir et d'expérimenter ce que tu es venu chercher ici: initiations, guérisons, enseignements, messages, informations, etc.
- Prends le temps d'intégrer ton expérience dans les cellules de ton corps de lumière. Aide-toi de ta respiration. Dis-moi quand tu sentiras que l'intégration est complétée.
- Prépare-toi à revenir et à refaire les étapes de retour à l'aide de ton cordon d'argent.

ÉTAPES DU RETOUR DE L'AU-DELÀ

- Lorsque l'Exploration dans l'Au-delà est complétée, quand tu sentiras que c'est le temps de revenir, demande à ton corps de lumière de ramener cette expérience sur Terre afin de la partager et de l'enraciner.
- Reviens vers le système solaire. Reviens vers la Terre. Reviens vers ton lieu d'Initiation.

RETOUR AU LIEU D'INITIATION ET RITUEL DE PURIFICATION PAR UN SAS ÉNERGÉTIQUE

- Reviens à ton rythme dans ton lieu sacré d'Initiation aux Passages. Avant d'entrer traverse un sas énergétique. Crée un rituel de purification qui te permet de te libérer de toutes les émotions et de tous les résidus que tu as contactés (Ex.: Une lumière intense te balaie de la tête aux pieds dans tous tes corps subtils et te permet de te libérer. Crée ton propre sas énergétique.)

EXPLORATION D'UN ESPACE DE L'AU-D'ICI

- Installe-toi confortablement dans ton lieu sacré. Prépare-toi à te rendre dans un espace de l'Au-d'Ici. (Le subconscient personnel et collectif. Rappelle-toi que tout ce qui est en bas est comme tout ce qui est en haut.)
- Laisse émerger par ta couronne ton corps de lumière qui est le véhicule de ton âme. Décris-le. Vérifie s'il est relié à ton corps éthérique par ton cordon d'argent. Comment est

ton cordon d'argent? Élastique et souple ou sombre et rigide? Lumineux argenté ou terne? Petit ou large de diamètre? Bien connecté aux deux corps? Décris-le. S'il est déficient, canalise la lumière argentée pour le renforcer.

• Prépare-toi à descendre dans la Terre avec tes guides. Tu peux le faire par les voies naturelles (comme la thérapie du tunnel, la Catharsis) ou par un ascenseur de cristal.

• Imagine que ton corps de lumière est assis sur une plate-forme de cristal qui descend doucement comme dans un ascenseur de cristal. Laisse la plate-forme de lumière descendre doucement au-dessous du lieu d'Initiation au rythme d'un ascenseur qui indique les sous-sols au nombre variable.

• Observe les différents paliers à travers lesquels tu passes. Assure-toi de rester toujours en contact avec ton cordon d'argent.

• Fais une pause au sous-sol qui t'appelle aujourd'hui. Nomme-le. Demande à ton âme de t'emmener maintenant dans un des espaces infinis de lumière de l'Au-d'Ici que tu dois rencontrer aujourd'hui. Décris le chemin que tu parcours.

• Lorsque tu arrives dans cet espace, identifie-le. Demande à rencontrer les êtres qui y vivent. Établis un dialogue avec eux. Qui sont-ils? Quelle est leur fonction? Pourquoi t'ont-ils invité(e) ici aujourd'hui? etc. S'il n'y a pas d'êtres, explore.

• Permets-toi d'accueillir et d'expérimenter ce que tu es venu chercher ici: initiations, guérisons, enseignements, messages, informations, etc.

• Prends le temps d'intégrer ton expérience dans les cellules de ton corps de lumière. Aide-toi de ta respiration. Dis-moi quand tu sentiras que l'intégration est complétée.

• Prépare-toi à revenir et à refaire les étapes de retour à l'aide de ton cordon d'argent et de l'ascenseur de cristal.

ÉTAPES DU RETOUR DE L'AU-D'ICI

- Lorsque l'Exploration dans l'Au-d'Ici est complétée, quand tu sentiras que c'est le temps de retourner, demande à ton corps de lumière de ramener cette expérience sur Terre afin de la partager et de l'enraciner. Reviens vers ton lieu d'initiation.

RETOUR AU LIEU D'INITIATION ET RITUEL DE PURIFICATION PAR UN SAS ÉNERGÉTIQUE

- Reviens à ton rythme dans ton lieu sacré d'Initiation aux Passages. Avant d'entrer traverse un sas énergétique. Crée un rituel de purification qui te permet de te libérer de toutes les émotions et de tous les résidus que tu as contactés. (Ex.: Une lumière intense te balaie de la tête aux pieds dans tous tes corps subtils et te permet de te libérer. Crée ton propre sas énergétique.)

COMPLÉTUDE ET RITUEL LIBRE D'ENGAGEMENT ENVERS SON ÊTRE

- Demande à ton corps de lumière de revenir dans ton corps éthérique et d'intégrer l'énergie, les connaissances et l'expérience que tu as vécues.
- Échange avec tes guides et ressource-toi dans ton lieu d'Initiation.
- Prépare-toi à vivre un rituel libre d'engagement public envers ton Être. Fais venir dans ton lieu d'Initiation aux Passages les êtres, incarnés ou non qui ont contribué à ton évolution.
- Prends le temps de te recueillir et de ressentir le moment sacré de ce rituel libre d'engagement. Quand tu es prêt(e) prononce à haute voix devant les êtres rassemblés, ton engagement envers ton Être.
- Lorsque tu as complété, quand tu es prêt, reviens par bilocation à travers un pont de lumière, dans ton corps physique, dans la pièce. Prends le temps d'intégrer l'énergie,

les connaissances et l'expérience que tu as vécues dans ton corps physique.

- Envoie de l'énergie à la Terre par tes racines. Reprends contact avec la réalité physique.

NOTES *(Noter ci-après ou faire des photocopies. Par la suite, dessiner.)*

12 Univers = 12 qualités de Dieu
12 Systèmes solaires par Univers = 12 sub-qualités de Dieu

ex: Univers #1 l'Amour infini
s.q.: Compassion

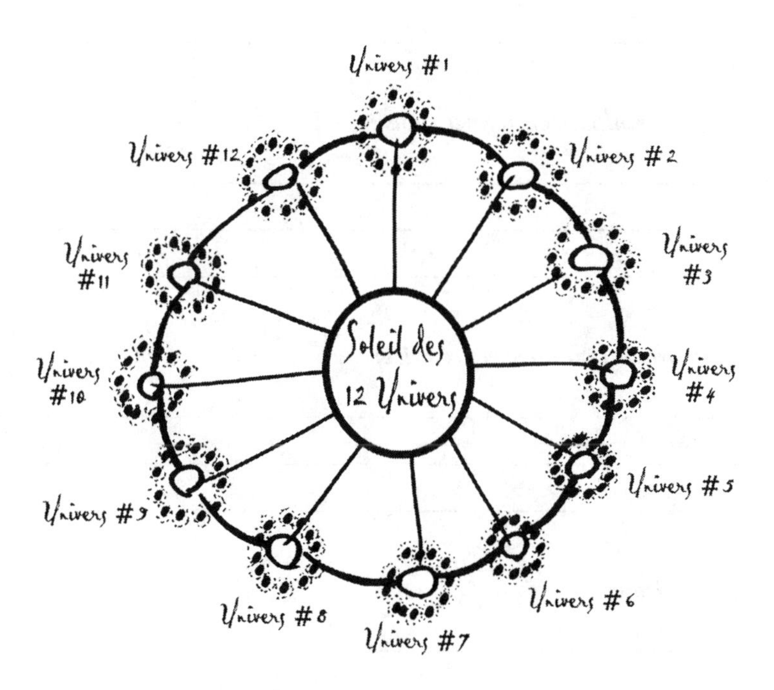

Les Espaces Multidimensionnels
Le Code génétique et l'ADN

VOYAGE INTÉRIEUR

Le lieu d'Initiation aux Passages:

____

____

____

L'espace multidimensionnel choisi:

____

____

____

L'exploration intuitive et créatrice:

____

____

____

La guérison:

____

____

____

La pyramide des acquis et des connaissances:

____

____

____

La caverne des mémoires de vies passées ou futures:

Les scénarios du futur:

Le retour au lieu sacré et le rituel de purification:

L'ascension et l'exploration d'un espace de lumière de l'Au-delà:

L'exploration d'un espace de l'Au-d'ici:

Complétude et Rituel libre d'engagement envers son Être:

Dessin:

6

Les Mémoires de vies de Passeur

C'est par votre façon de vivre
que vous attirez à vous la Connaissance divine.
Le savoir des livres, de la radio, du cinéma,
de la télévision, des ordinateurs
est impermanent. Laissez vos mémoires s'ouvrir
et vous rappeller les connaissances que
vous avez acquises au cours de vos multiples
incarnations. Laissez émerger le savoir
que vous avez accumulé au cours des millénaires.

Omraam Mikaël Aïvanhov
"Méditations quotidiennes 2000"

***

Le but de cet exercice est de contacter la vie la plus importante où vous avez été Passeur(e) de Terre, Passeur(e) d'âmes, Initiateur(trice) des Passages, n'importe où dans le temps et l'espace:

1. *Un personnage qui préparait au Passage de la Mort*
2. *Un personnage qui accompagnait durant le Passage de la Mort*
3. *Un personnage qui accompagnait l'âme après le Passage, dans l'autre Vie, dans l'Au-delà*
4. *Un personnage qui accompagnait l'âme vers l'incarnation et la naissance sur Terre ou ailleurs*
5. *Un personnage qui accompagnait les âmes à traverser les Passages de la Vie incarnée*

Il peut y avoir de la guérison à faire avec l'âme, à n'importe quelle étape de son cycle de vie. L'important est d'ouvrir les mémoires cellulaires, de voir les liens entre les vies passées et la vie actuelle, de récupérer des connaissances, des rituels qui pourraient s'adapter à la vie d'aujourd'hui.

MÉTHODE #1
(LE PONT ET LE PERSONNAGE)

Lire - Enregistrer - Expérimenter - Noter - Dessiner

*(*Lorsque vous enregistrez le texte, laissez du temps et des espaces de silence entre les étapes de chacun des exercices.)*

PRÉPARATION ET RELAXATION

- Signale à ton corps, à ta personnalité, à ton âme, à ton esprit, que tu te prépares à vivre un voyage dans les couloirs de l'espace-temps dont le thème est: "la vie la plus importante où j'ai été Passeur(e) de Terre, Passeur(e) d'âmes, Initiateur(trice) des Passages".
- Demande à ton corps de se détendre. Relâche les muscles du visage, des yeux, de la mâchoire, du crâne. Amène une énergie de détente à ta nuque, ta gorge, tes épaules, tes bras, tes mains.
- Détends la région de la cage thoracique, de l'abdomen, de tes organes internes. Relâche les muscles du dos. Détends en profondeur la zone du bassin.
- Laisse l'énergie de détente descendre dans tes cuisses, tes genoux, tes jambes, tes pieds. Respire dans ton corps et amène la détente dans chacune de ses parties.

PRÉLIMINAIRES

- Quand tu es prêt(e), imagine que tu te rends dans un lieu

sacré, un endroit privilégié que tu choisis pour sa beauté, son calme, sa paix. Prends le temps de t'adapter à ce lieu. Tout en explorant ce lieu, tu remarques quelque part un pont vers lequel tu te diriges.

- Ce pont traverse un cours d'eau et relie ses deux rives. Au milieu de ce pont un ou des guides t'attendent. Il est possible que ce soit ton guide, un Maître du Karma, un Maître du Passage ou autre. Il-Elle t'attend avec amour, respect, compassion. Va le-la rejoindre au centre du pont.
- Prends le temps d'établir un climat de confiance avec ce guide. Crée un lien qui te relie à lui ou elle durant toute la durée de ce voyage. Ce lien peut ressembler à un cordon de lumière.
- Sache également que tu as la capacité de créer des sphères de lumière dorée, à volonté, n'importe quand durant la régression. Tu pourras les utiliser pour transformer les situations ou les énergies qui en auraient besoin au cours du voyage.

ÉVEIL DES MÉMOIRES

- De l'autre côté de ce pont se trouve la vie la plus importante à contacter où tu as été Passeur(e) de Terre. Quand tu es prêt(e), en compagnie de ton guide, tu t'apprêtes à traverser le pont et à te rendre de l'autre côté. Demande à la Source divine, aux Maîtres du Karma, aux Maîtres des Passages, à ton inconscient, de t'accompagner de l'autre côté du pont. Entre maintenant dans cette vie. Entre progressivement dans ce personnage que tu as été.
- Penche la tête et observe tes pieds. Comment sont tes pieds? Nus ou chaussés? S'ils sont chaussés, de quoi le sont-ils? Laisse monter ton regard sur tes jambes et le reste de ton corps. Observe comment tu es vêtu(e). Touche ton visage, ta tête. Es-tu un homme ou une femme? Es-tu jeune ou plus âgé?
- Commence à te déplacer dans cet environnement où le

personnage que tu deviens se déplace. Contemple ton état intérieur, ton état d'être, tes émotions, tes sensations. Entre de plus en plus en communion avec ce personnage que tu as été.

• Contemple l'environnement où tu es: les paysages, le monde extérieur, les habitations s'il y en a, les autres personnes s'il y en a. Demande à ton inconscient de te situer dans le temps et l'espace, dans la culture et la civilisation, dans l'époque.

DÉBUT DE LA MISSION DE PASSEUR

• Demande à ton inconscient de t'amener à l'un des moments les plus importants de cette vie où tu as été Passeur(e) de Terre. Le moment le plus important où tu as débuté ta mission, ton rôle de Passeur(e) de Terre. Rends-toi à ce moment.

• Comment es-tu devenu(e) Passeur(e)? Permets au personnage que tu es de t'aider à ouvrir les mémoires de tes cellules dans ce couloir du temps et de l'espace. Prends le temps d'intégrer le début de ta mission.

LES LIEUX D'INITIATION

• Quand tu te sentiras prêt(e), demande à ton inconscient de t'amener, à ton rythme, vers les lieux d'Initiation aux Passages où tu as exercé ton rôle de Passeur(e) de Terre, Passeur(e) d'âmes.

• Prends le temps de contempler ces lieux, de les redécouvrir à nouveau. Tout en demeurant fusionné à ce personnage, dirige-toi à ton rythme vers les centres sacrés de ces lieux d'initiation. Laisse tes mémoires redécouvrir ces lieux initiatiques.

LES RITUELS DES PASSAGES

• Rapproche-toi du coeur de ces lieux où tu as exercé des Rituels des Passages. Prends le temps de redécouvrir ces connaissances, ces rituels que tu as pratiqués, avant, pendant ou après le Passage des êtres et des âmes.

- Redécouvre toutes les étapes du déroulement de ces rituels et demande à tes cellules de s'éveiller complètement à ces mémoires. Il se peut également que le personnage que tu es reconnaisse d'autres âmes de ta présente incarnation. Prends le temps de bien intégrer au fur et à mesure que le rituel ou les rituels se déroulent, les étapes, les environnements, les gestes, qui faisaient partie de ces rituels.

LE PASSAGE

- Lorsque tu sens que tu as éveillé l'essentiel de cette mémoire, tout en demeurant fusionné au personnage que tu as été, tu te diriges, à ton rythme, vers les moments qui ont précédé ton Passage. Prends le temps de compléter les rituels du Passage avant de t'y rendre. Rends-toi aux heures, aux minutes, qui ont précédé le moment de ton Passage.
- Comment te sens-tu avant de faire ce Passage? Quels sont tes états d'âme? Es-tu seul ou accompagné? Dans quelles conditions te prépares-tu à faire le Passage? Tu te rapproches de plus en plus du moment du Passage. Le moment où ton âme a choisi de quitter, s'il y a lieu, le corps de ce personnage de Passeur de Terre. Permets-lui de faire ce Passage maintenant.

L'ASCENSION

- À présent que ce Passage est fait, laisse ton âme expérimenter de nouveau les étapes du chemin qui la conduisent vers la Lumière. Expérimente consciemment, à ton rythme, l'élévation de l'âme, l'ascension et toutes ses étapes. Refais ce chemin consciemment.
- Laisse tes mémoires t'indiquer les étapes de ce chemin. Dirige-toi à ton rythme vers la Lumière, en réintégrant toutes ces étapes. Tu connais le chemin, ton âme le reconnaît. Lorsque tu arrives dans la Lumière, prends le temps de

t'y baigner. Imprègne-toi de la Lumière et repose-toi. Laisse ton âme se reposer dans la Lumière.

LES APPRENTISSAGES

- Quand tu seras prêt(e), demande à ton âme quelles sont les grandes leçons, les grands apprentissages qu'elle a faits durant cette vie que tu viens de contacter. Demande à toutes tes cellules de se souvenir de ces apprentissages.
- Avant de passer à la prochaine étape, qui est celle de la guérison, tu prends le temps de créer un tunnel de Lumière dans le temps et l'espace qui t'amène dans ta vie actuelle, dans ta présente incarnation.
- Demande à ton âme de t'indiquer comment ces apprentissages, ces connaissances que tu viens de contacter, peuvent te servir maintenant. Demande à ton âme de te montrer concrètement comment tu peux réutiliser et adapter ta sagesse dans ta vie présente. Demande à ton âme de te montrer clairement, concrètement le chemin, la voie terrestre de ta manifestation dans ta présente incarnation.
- Demande-lui encore plus concrètement de t'indiquer avec quels autres êtres tu peux manifester ton chemin. Quels sont tes alliés? Lorsque tu es prêt(e), intègre ces informations concrètes dans ta présente incarnation. Prends-les avec toi et reviens à ton rythme dans le tunnel de Lumière vers la Lumière où ton âme t'a partagé ces grands apprentissages de la vie que tu viens de contacter.

LA GUÉRISON

- Prépare-toi à la guérison. Ressens la lumière bleu doré qui remplit cet espace de lumière et baigne-toi dans cette Lumière.
- Place dans cette Lumière le personnage de Passeur de Terre que tu as été, tout son vécu, ses connaissances, ses apprentissages. Laisse-le baigner dans la Lumière de guérison bleu dorée. Si tu sens le besoin d'ajouter une couleur de

guérison à ce bleu doré, ajoute tes couleurs.

- Place ton âme et tout son chemin dans la lumière de guérison. Laisse-la baigner toutes ses blessures, toutes ses forces dans la lumière de guérison.
- Place le personnage que tu es dans cette présente incarnation et tout son vécu dans la lumière de guérison. Laisse baigner le personnage que tu es.
- Amène les êtres et les âmes qui font partie de ta présente incarnation, à venir dans cette énergie de guérison. Demande-leur s'ils veulent venir, car ils sont libres. Invite-les à venir baigner dans cette énergie de guérison.
- Ressens l'espace de lumière de guérison, ce grand dôme qui t'entoure. Imprègne-toi de cette lumière de guérison. À l'aide de profondes inspirations, amène cette énergie de guérison dans toutes tes cellules.
- Inspire et expire cette énergie de guérison à ton rythme, le nombre de fois qui te convient. Amène-la dans tes cellules, dans tes chakras, dans ton canal, dans tout ton être. Respire la guérison et l'intégration.

RETOUR À LA VIE PRÉSENTE

- Lorsque tu sens que c'est complété, reviens à ton rythme, accompagné de ton guide, du côté du pont où tu as débuté ton voyage dans le temps et l'espace. Reviens doucement au centre du pont et laisse descendre sur toi une lumière de purification blanc doré et toute autre couleur dont tu aurais besoin.
- Laisse-la descendre sur toi doucement et purifier tes corps, tes mémoires, le pont. Remercie ton guide. Reviens de ce côté du pont, sur la rive. Fais le Passage, la Transition dans ton lieu sacré du départ.
- Remercie la Source, tes guides, ton âme, ta personnalité, ton corps, ton personnage. Reviens dans ton corps physique. Reprends contact avec ta respiration. Amène l'énergie dans tes chakras, tes cellules physiques, tes racines.

Prends le temps d'intégrer tout ce que tu viens de contacter. Reprends contact avec ce lieu ____________(le nommer). Nous sommes le _________(date). Il est _________(heure).

NOTES *(Noter ci-après ou faire des photocopies. Par la suite, dessiner.)*

VOYAGE INTÉRIEUR

Le lieu sacré:

___

___

___

Le pont:

___

___

___

Les guides:

___

___

___

Le personnage:

___

___

___

L'environnement:

___

___

___

Le début de la mission:

Les lieux d'Initiation:

Les rituels des Passages:

Le Passage:

L'ascension:

Les apprentissages:

La guérison:

____

____

____

Le retour à la réalité physique:

____

____

____

Dessin:

MÉTHODE #2

(VOYAGE DANS LES COULOIRS DU TEMPS ET DE L'ESPACE)

Lire - Enregistrer - Expérimenter - Noter - Dessiner

*(*Lorsque vous enregistrez le texte, laissez du temps et des espaces de silence entre les étapes de chacun des exercices.)*

RITUEL POUR RETROUVER UNE VIE À GUÉRIR

LA DÉTENTE

- Dis à ton corps, à ton âme, à ta personnalité, que tu te prépares à vivre un voyage dans les couloirs du temps et de l'espace (et non une transe ou une mort consciente) dont le but est :

____

____

____

- Demande à ton corps de se détendre et respire profondément. Relâche les muscles de ton visage particulièrement ceux des yeux et des mâchoires. Relâche les muscles de ton crâne et amène l'énergie de la détente dans ta gorge, ta nuque, tes épaules, tes bras et tes mains.
- Détends la région de ta cage thoracique, de l'abdomen, tes organes vitaux internes. Relâche les muscles de ton dos dans toute sa longeur et toute sa largeur. Détends en profondeur la zone du bassin.
- Laisse l'énergie de la détente descendre dans tes cuisses, tes genoux, tes jambes, et tes pieds. Respire partout dans ton corps et libère toutes tes tensions. Laisse aller tes

pensées librement comme des nuages soufflés par le vent.
- ***Avertis-moi quand tu es prêt à poursuivre.***

LE LIEU SACRÉ ET LE PONT

• Lorsque tu es prêt(e), rends-toi dans un lieu sacré, un endroit privilégié que tu choisis pour sa beauté, son calme, sa paix. Prends le temps de t'adapter à ce lieu, de l'observer. Tout en l'explorant, remarque, quelque part, un pont. Dirige-toi vers ce pont. Ce pont traverse un cours d'eau et relie deux rives.
- ***Peux-tu le décrire.***

LES GUIDES

• Au milieu de ce pont se tient un guide qui t'attend avec amour, respect et compassion. Ce guide peut être un Maître du Karma, un Maître du Passage, un Être de lumière, un de tes guides, ou autre. Va vers lui (ou elle) au centre du pont.
- ***Parle-moi de ton guide.***

• Prends le temps d'établir un climat de confiance avec ton guide car c'est lui (ou elle) qui va t'accompagner durant ce voyage. Si tu acceptes, ce guide te relie à lui par un cordon de lumière souple et élastique. Il te remet également des boules de lumière de toutes les couleurs que tu pourras utiliser durant le voyage pour toute situation qui aurait besoin de transformation.
- ***Raconte-moi ce qui se passe.***

LA TRAVERSÉE D'UN DES COULOIRS DU TEMPS ET DE L'ESPACE

• De l'autre côté de ce pont, se trouve la vie que tu as à contacter aujourd'hui. Quand tu es prêt(e), en compagnie de ton guide, tu traverses le pont de l'autre côté. Demande à ton inconscient, à ton âme, à ta personnalité, de collaborer à cette traversée. Demande à la Source, aux Maîtres du Karma, aux Maîtres du Passage, à tes guides, de t'accompa-

gner de l'autre côté du pont. Entre maintenant dans cette autre vie importante...
- Avertis-moi lorsque c'est fait. Quelles sont les images que tu reçois, les sensations que tu éprouves?

LE PERSONNAGE

• Penche la tête et observe tes pieds. Sont-ils nus ou chaussés? Laisse monter ton regard sur tes jambes et ton corps et observe tes vêtements. Comment sont-ils? Touche ton visage, ta tête, tes cheveux. Comment sont-ils? Es-tu un homme ou une femme? Jeune ou âgé?
- Décris le personnage que tu es.
• Commence à te véhiculer dans cet environnement. Deviens le personnage et déplace-toi. Contemple ton état intérieur, ton état d'être, tes émotions, tes sensations. Entre de plus en plus en communion avec ce personnage.
- Parle-moi de ce personnage.

L'ESPACE ET LE TEMPS

• Contemple l'environnement où tu es, les paysages, les habitations, les gens. Demande à ton inconscient de te situer dans le temps et l'espace, dans la culture et la civilisation, dans l'époque.
- Parle-moi de ce contexte.

LE DÉBUT

• Demande à ton inconscient et à tes guides de t'amener maintenant devant les êtres ou les situations que tu as à guérir. Demande à être amené au début de la relation, de la rencontre ou de la situation. La première fois que tu as rencontré ces êtres ou vécu cette situation.
- Comment ça se passe?
• Ouvre les mémoires de tes cellules dans le temps et l'espace. Prends le temps de te souvenir.
- Est-ce que certains de ces êtres ou de ces situations font partie de ta vie actuelle?

LES MOMENTS IMPORTANTS

• Lorsque tu es prêt(e), demande à tes guides de t'amener à contacter les moments les plus importants de cette relation ou situation. Prends le temps de les revoir les uns après les autres. Laisse tes mémoires revivre ces étapes.
- Décris ces moments importants.

LE PASSAGE

• Lorsque tu sens que tu as revécu l'essentiel de ces relations ou situations, tout en demeurant fusionné au personnage, rends-toi à ton rythme vers les moments qui ont précédé ton Passage. Comment te sens-tu? Quels sont tes états d'âme? Es-tu seul(e)? Dans quelles conditions te prépares-tu à faire le Passage?
- Raconte ce qui se passe.

• Rapproche-toi du moment du Passage. Laisse ton âme quitter le véhicule de ton personnage. Dirige-toi vers la lumière. Entre dans la lumière et repose-toi.

LES APPRENTISSAGES

• Demande à ton âme quelles sont les grandes leçons de cette vie que tu viens de contacter. Demande à tes cellules de se souvenir de tes apprentissages.
- Parle-moi de ce que tu as appris.

LES LIENS AVEC LA VIE PRÉSENTE

• Avant de passer à la prochaine étape qui est la guérison, crée un tunnel de lumière dans le temps et l'espace qui t'amène à la vie présente. Demande à ton âme de t'indiquer l'influence de tes apprentissages dans ta présente incarnation. Qu'est-ce qui se répète pour toi maintenant?
- Parle-moi de ces liens.

• Prends le temps d'intégrer ce que tu découvres puis reviens dans le tunnel vers la lumière.

LA GUÉRISON

• Prépare-toi à la guérison. Remplis ton espace de lumière de guérison, de la couleur qui te convient. Baigne-toi dans cette lumière de guérison.

• Quand tu es prêt(e), amène dans cette lumière de guérison, le personnage que tu as été, son vécu et ses apprentissages... Amène ton âme, son chemin d'évolution, ses forces et ses blessures... Amène le personnage que tu es actuellement et ton vécu... Amène les êtres ou les âmes de ta présente incarnation qui ont besoin de guérison...

• Imprègne-toi de cette lumière de guérison. À l'aide de ta respiration, amène la lumière dans tes cellules, tes chakras, ton canal... dans tout ton être. Respire la guérison.

- Avertis-moi lorsque c'est complété.

RETOUR

• Lorsque tu sens que c'est complété, reviens au pont, à travers le couloir du temps et de l'espace que tu as emprunté. Avec ton guide, reviens au centre du pont. Remercie-le. Laisse descendre sur toi une douche de lumière blanc doré de purification.

• Reviens dans le lieu privilégié. Remercie la Source, ton âme, ton inconscient, ta personnalité de leur collaboration.

• Reviens dans ton corps physique. Reprends contact avec ta respiration. Intègre l'énergie.

Nous sommes le (date)___________. À (lieu)__________.

Il est (heure)_____________.

NOTES *(Noter ci-après ou faire des photocopies. Par la suite, dessiner.)*

VOYAGE INTÉRIEUR

Le lieu sacré:

___

___

___

Le pont:

___

___

___

Les guides:

___

___

___

Le personnage:

___

___

___

L'environnement:

___

___

___

Le début de la mission:

Les lieux d'Initiation:

Les rituels des Passages:

Le Passage:

L'ascension:

Les apprentissages:

La guérison:

____

____

____

Le retour à la réalité physique:

____

____

____

Dessin:

RITUEL POUR RETROUVER LES CONNAISSANCES D'UNE VIE PASSÉE

LA DÉTENTE

- Dis à ton corps, à ton âme, à ta personnalité, que tu te prépares à vivre un voyage dans un des couloirs du temps et de l'espace (et non une transe ou une mort consciente) dont le but est :

____

____

____

- Demande à ton corps de se détendre et respire profondément. Relâche les muscles de ton visage particulièrement ceux des yeux et des mâchoires. Relâche les muscles de ton crâne et amène l'énergie de la détente dans ta gorge, ta nuque, tes épaules, tes bras et tes mains.
- Détends la région de ta cage thoracique, de l'abdomen, tes organes vitaux internes. Relâche les muscles de ton dos dans toute sa longeur et toute sa largeur. Détends en profondeur la zone du bassin.
- Laisse l'énergie de la détente descendre dans tes cuisses, tes genoux, tes jambes, et tes pieds. Respire partout dans ton corps et libère toutes tes tensions. Laisse aller tes pensées librement comme des nuages soufflés par le vent.

- Avertis-moi quand tu es prêt(e) à poursuivre.

LE LIEU SACRÉ ET LE PONT

- Lorsque tu es prêt(e), rends-toi dans un lieu sacré, un endroit privilégié que tu choisis pour sa beauté, son calme, sa paix. Prends le temps de t'adapter à ce lieu, de l'observer. Tout en l'explorant, remarque, quelque part, un pont.

Dirige-toi vers ce pont. Ce pont traverse un cours d'eau et relie deux rives.
- Peux-tu le décrire.

LES GUIDES

- Au milieu de ce pont se tient un guide qui t'attend avec amour, respect et compassion. Ce guide peut être un Maître du Karma, un Maître du Passage, un Être de lumière, un de tes guides, ou autre. Va vers lui (ou elle) au centre du pont.

- Parle-moi de ton guide.

- Prends le temps d'établir un climat de confiance avec ton guide car c'est lui (ou elle) qui va t'accompagner durant ce voyage. Si tu acceptes, ce guide te relie à lui par un cordon de lumière souple et élastique. Il te remet également des boules de lumière de toutes les couleurs que tu pourras utiliser durant le voyage pour toute situation qui aurait besoin de transformation.

- Raconte-moi ce qui se passe.

LA TRAVERSÉE D'UN DES COULOIRS DU TEMPS ET DE L'ESPACE

- De l'autre côté de ce pont, se trouve la vie que tu as à contacter aujourd'hui. Quand tu es prêt, en compagnie de ton guide, tu traverses le pont de l'autre côté. Demande à ton inconscient, à ton âme, à ta personnalité, de collaborer à cette traversée. Demande à la Source, aux Maîtres du Karma, aux Maîtres du Passage, à tes guides, de t'accompagner de l'autre côté du pont. Entre maintenant dans cette autre vie importante...

- Avertis-moi lorsque c'est fait. Quelles sont les images que tu reçois, les sensations que tu éprouves?

LE PERSONNAGE

- Penche la tête et observe tes pieds. Sont-ils nus ou chaussés? Laisse monter ton regard sur tes jambes et ton

corps et observe tes vêtements. Comment sont-ils? Touche ton visage, ta tête, tes cheveux. Comment sont-ils? Es-tu un homme ou une femme? Jeune ou âgé?
- Décris le personnage que tu es.

• Commence à te véhiculer dans cet environnement. Deviens le personnage et déplace-toi. Contemple ton état intérieur, ton état d'être, tes émotions, tes sensations. Entre de plus en plus en communion avec ce personnage.
- Parle-moi de ce personnage.

L'ESPACE ET LE TEMPS

• Contemple l'environnement où tu es, les paysages, les habitations, les gens. Demande à ton inconscient de te situer dans le temps et l'espace, dans la culture et la civilisation, dans l'époque.
- Parle-moi de ce contexte.

LE DÉBUT

• Demande à ton inconscient et à tes guides de t'amener maintenant devant les êtres ou les situations que tu as à rencontrer. Demande à être amené(e) au début de la relation, de la rencontre ou de la situation. La première fois que tu as rencontré ces êtres ou vécu cette situation.
- Comment ça se passe?

• Ouvre les mémoires de tes cellules dans le temps et l'espace. Prends le temps de te souvenir.
- Est-ce que certains de ces êtres ou de ces situations font partie de ta vie actuelle?

LES MOMENTS IMPORTANTS

• Lorsque tu es prêt, demande à tes guides de t'amener à contacter les moments, les lieux, les rituels ou les connaissances les plus importants de cette relation ou situation. Prends le temps de les revoir les uns après les autres. Laisse

tes mémoires redécouvrir tes connaissances et revivre ces étapes.
- Décris ces moments importants, ces lieux, ces rituels, ces connaissances.

LE PASSAGE

• Lorsque tu sens que tu as revécu l'essentiel de ces relations ou situations, tout en demeurant fusionné au personnage, rends-toi à ton rythme vers les moments qui ont précédé ton Passage. Comment te sens-tu? Quels sont tes états d'âme? Es-tu seul? Dans quelles conditions te prépares-tu à faire le Passage?
- Raconte ce qui se passe.
• Rapproche-toi du moment du Passage. Laisse ton âme quitter le véhicule de ton personnage. Dirige-toi vers la lumière. Entre dans la lumière et repose-toi.

LES APPRENTISSAGES

• Demande à ton âme quelles sont les grandes leçons de cette vie que tu viens de contacter. Demande à tes cellules de se souvenir de tes apprentissages.
- Parle-moi de ce que tu as appris.

LES LIENS AVEC LA VIE PRÉSENTE

• Avant de passer à la prochaine étape qui est la guérison et l'intégration, crée un tunnel de lumière dans le temps et l'espace qui t'amène à la vie présente. Demande à ton âme de t'indiquer l'influence de tes apprentissages dans ta présente incarnation. Qu'est-ce qui se répète pour toi maintenant?
- Parle-moi de ces liens.
• Comment peux-tu utiliser concrètement ta sagesse passée dans ta vie présente? Prends le temps d'intégrer ce que tu découvres puis reviens dans le tunnel vers la lumière.

LA GUÉRISON ET L'INTÉGRATION

- Prépare-toi à la guérison et à l'intégration. Remplis ton espace de lumière de guérison et d'intégration, de la couleur qui te convient. Baigne-toi dans cette lumière de guérison et d'intégration.
- Quand tu es prêt, amène dans cette lumière de guérison et d'intégration, le personnage que tu as été, son vécu, ses apprentissages et ses connaissances... Amène ton âme, son chemin d'évolution, ses forces et ses blessures... Amène le personnage que tu es actuellement et ton vécu... Amène les êtres ou les âmes de ta présente incarnation qui ont besoin de guérison ou d'intégration...
- Imprègne-toi de cette lumière de guérison et d'intégration. À l'aide de ta respiration, amène la lumière dans tes cellules, tes chakras, ton canal... dans tout ton être. Respire la guérison et l'intégration.

- Avertis-moi lorsque c'est complété.

RETOUR

- Lorsque tu sens que c'est complété, reviens au pont, à travers le couloir du temps et de l'espace que tu as emprunté. Avec ton guide, reviens au centre du pont. Remercie-le. Laisse descendre sur toi une douche de lumière blanc doré de purification.
- Reviens dans le lieu privilégié. Remercie la Source, ton âme, ton inconscient, ta personnalité de leur collaboration.
- Reviens dans ton corps physique. Reprends contact avec ta respiration. Intègre physiquement l'énergie.

Nous sommes le (date)__________. À (lieu)__________.

Il est (heure)____________.

NOTES *(Noter ci-après ou faire des photocopies. Par la suite, dessiner.)*

VOYAGE INTÉRIEUR

Le lieu sacré:

Le pont:

Les guides:

Le personnage:

L'environnement:

Le début de la mission:

Les lieux d'Initiation:

Les rituels des Passages:

Le Passage:

L'ascension:

Les apprentissages:

La guérison:

Le retour à la réalité physique:

Dessin:

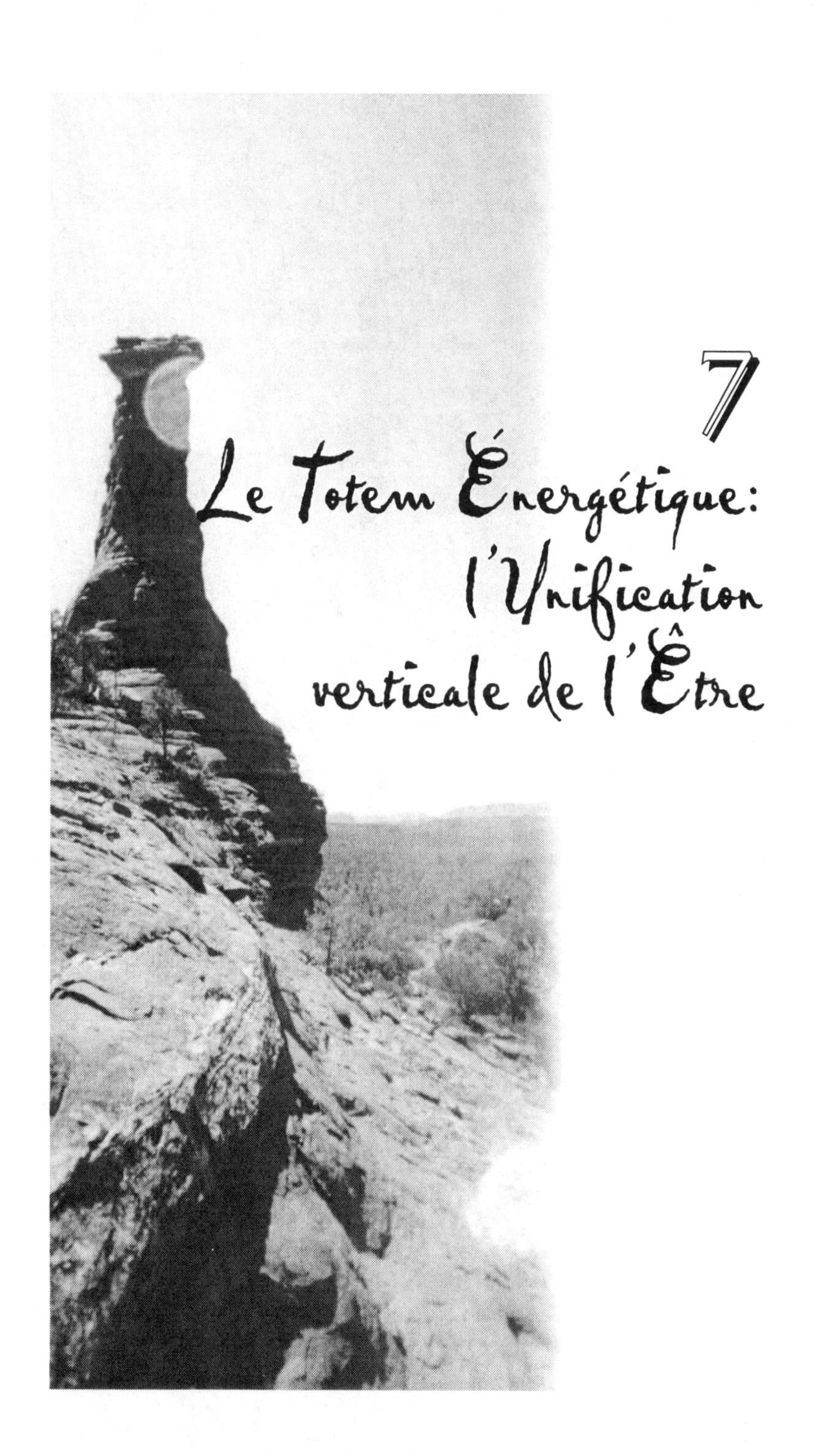

7

Le Totem Énergétique: l'Unification verticale de l'Être

L'Incarnation est une Voie d'évolution privilégiée,
la Voie qui permet à notre Essence Divine
de se reconnaître elle-même.

***

Le but de cet exercice est l'Unification et l'Intégration verticale de l'Être. C'est aussi un processus d'Exploration permettant de détecter le parasitage, le vampirisme énergétique, les coupures, les séparations, les destructions des différentes composantes de la structure énergétique de l'Être et d'autoguérir la Séparation entre le divin et l'humain en soi.

***

Lire - Enregistrer - Expérimenter - Noter - Dessiner

*(*Lorsque vous enregistrez le texte, laissez du temps et des espaces de silence entre les étapes de chacun des exercices.)*

Le Totem Énergétique

VERSION #1

1. CONNEXION DES CHAKRAS DU CORPS PHYSIQUE (LE PREMIER MONDE)

- Prends le temps de t'installer confortablement.
- Plonge tes racines. Imagine que tes racines ont des yeux ou des sens et peuvent entrer en contact avec l'énergie du lieu. Durant la descente, si le lieu a un message, tu l'accueilles. Tes racines continuent à prendre de l'expansion.

- Crée ton cocon de lumière comme protection.
- Assure-toi que l'énergie de ce lieu est paisible, lumineuse et harmonieuse. Prends le temps de t'en imprégner.
- Rends-toi, par un pont arc-en-ciel, dans un espace approprié à l'Exploration et à la Création de ton Totem énergétique personnel. Tu peux demander un guide chaman, un animal allié ou un autre guide.
- Il se peut qu'il y ait déjà un Totem dans cet espace. Décris-le.
- Allume ta Source de Chi personnelle au-dessous de tes pieds. Fais-en bien le tour et vérifie-la.

** Si tu découvres des liens énergétiques qui te vampirisent, coupe-les avec un ciseau ou une épée d'or ou d'argent et envoie des sphères de lumière dorée sur la source de vampirisation.*

** Répète cet exercice durant tout le voyage pour chacun des chakras s'il y a lieu.*

** Si tu rencontres des êtres ou des choses qui n'ont rien à faire ici, crée un cylindre de lumière à côté de toi. Il doit monter jusqu'aux plans cosmiques. Laisse monter jusqu'en haut ce qui n'a rien à faire ici, puis des êtres de lumière prendront le relais.*

** Répète cet exercice durant tout le voyage pour chacun des chakras s'il y a lieu.*

- Tire des rayons de lumière qui se connectent dans les chakras de tes pieds. Vérifie tout autour et relie les chakras le long de tes jambes en passant par les chevilles, les mollets, les genoux. Vérifie autour des genoux.
- Connecte les chakras des genoux, des cuisses jusqu'à la base de la colonne vertébrale. Fais le tour de ce chakra et fais les vérifications et les actions nécessaires.
- Connecte le chakra du coccyx à l'occiput par des rayons de lumière qui montent le long de la colonne vertébrale.

- Relie et vérifie les sept chakras principaux du corps physique. (# 1 à 7)
- Connecte les chakras de la base avant-arrière aux chakras du hara, du plexus, du coeur, des épaules, des coudes, des poignets, des mains, des doigts, de la gorge, de la nuque.
- Connecte aux chakras de la bouche, de la conscience (3e oeil, glande pinéale, occiput), des tempes, du front, du sonar, de la tonsure des moînes, de la couronne.

N.B. *(Dessiner ci-après le Totem des chakras # 1-7).*

Dessin (# 1 à 7) :

2. CONNEXION DES CHAKRAS DU CORPS SPIRITUEL (LE DEUXIÈME MONDE)

- Du chakra de la couronne laisse monter les rayons de lumière pour connecter les chakras de la base (racines, pieds, jambes, genoux, cuisses) de ton corps spirituel.
- Connecte et vérifie les sept chakras principaux (# 8 à 14) et relie-les aux chakras du corps physique par quatre rayons (devant-derrière, côtés).

N.B. *(Dessiner ci-après le Totem des chakras # 8 à 14).*

Dessin (# 8 à 14) :

3. CONNEXION DES CHAKRAS DU CORPS COSMIQUE (LE TROISIÈME MONDE)

- Prends le temps de t'installer de nouveau et de te centrer sur l'exercice du Totem.
- De la couronne de ton corps spirituel (# 14), laisse monter les rayons de lumière pour connecter les chakras de la base de ton corps cosmique.
- Connecte et vérifie les sept chakras (# 15 à 21) et relie-les aux chakras des corps spirituel et physique par 4 rayons émanant de chacun des chakras.
- Connecte-les au soleil personnel, à la Source de Chi cosmique (# 22). Vérifie, puis tire des rayons de lumière qui se connectent à la source de Chi terrestre sous les pieds pour former le cocon de lumière.

N.B. *(Dessiner ci-après le Totem des chakras # 15 à 22).*

Dessin (# 15 à 22) :

4. CONNEXION DES CHAKRAS DU CORPS SUPRA-COSMIQUE ET DU CORPS DIVIN

- L'exercice peut s'arrêter ou se poursuivre ici de la même manière si vous ressentez la présence des Corps supra-cosmique ou Divin.

N.B. *(Dessiner ci-après le Totem des chakras # 23 à 33).*

Dessin (# 23 à 33) :

5. COMPLÉTUDE

- Tu peux maintenant te dédoubler et contempler ton Totem. Quelle vision en as-tu?
- Reviens à ton soleil personnel (# 22) et redescends tranquillement les mondes comme dans un ascenseur, afin de bien intégrer le travail (# 22-21-20...).
- Reviens dans l'espace du Totem. Traverse un sas énergétique.
- Reviens dans la réalite physique.

N.B. (*Dessiner ci-après le Totem complet des chakras # 1 à 22 ou # 1 à 33).*

Dessin complet (# 1 à 22 ou # 1 à 33) :

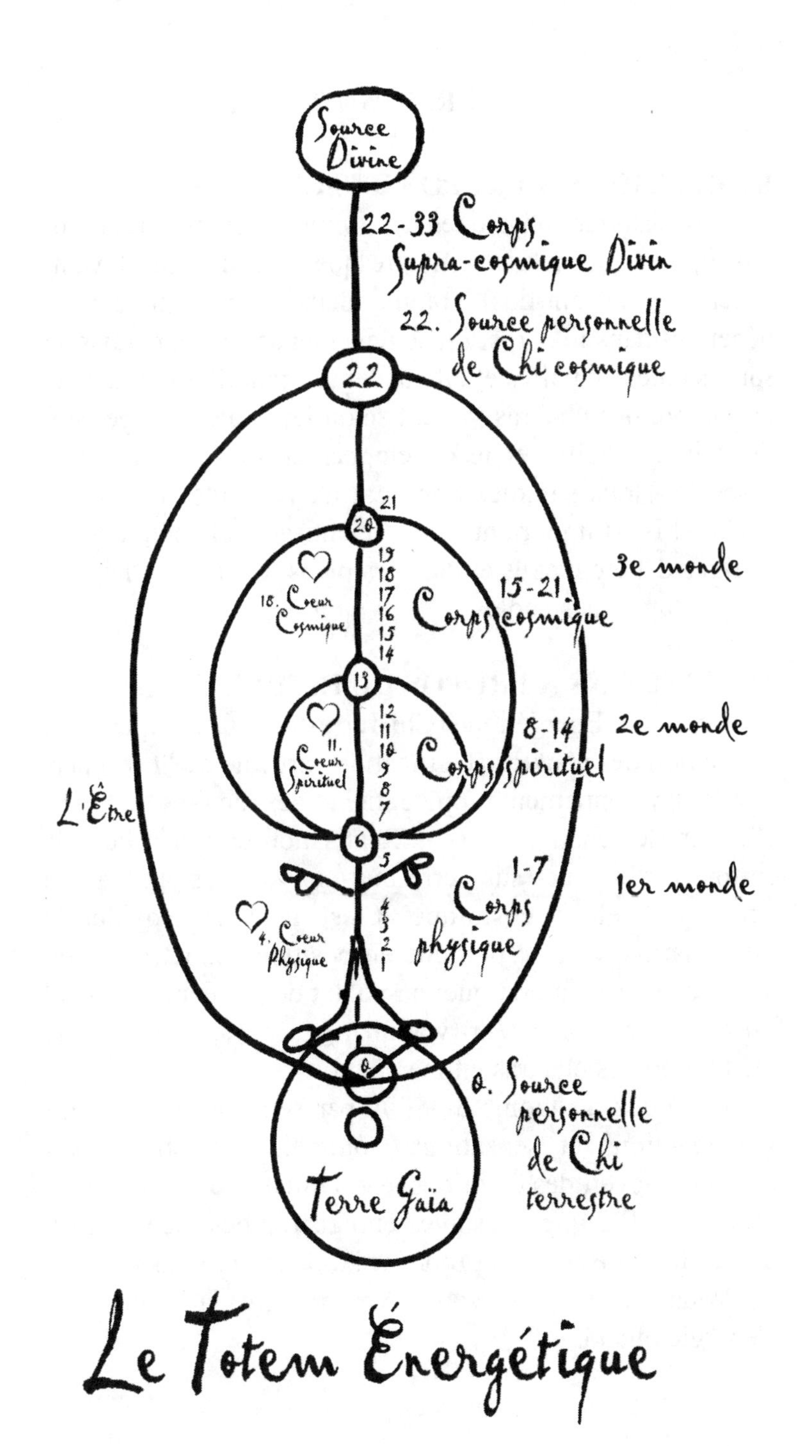
Source Divine
22-33 Corps Supra-cosmique Divin
22. Source personnelle de Chi cosmique
22
21
20
19
18
17
16
15
14
3e monde
18. Coeur Cosmique
15-21 Corps cosmique
13
12
11
10
9
8
7
2e monde
11. Coeur Spirituel
8-14 Corps spirituel
L'Être
6
5
1-7 Corps physique
1er monde
4
3
2
1
4. Coeur Physique
0
0. Source personnelle de Chi terrestre
Terre Gaïa
Le Totem Énergétique

VERSION # 2

INDICATIONS À PROPOS DES CHAKRAS

Les chakras physiques se trouvent DANS le corps physique. Les chakras sont presque tous doubles (avant-arrière ou devant-dos) comme deux soleils qui s'interpénètrent dans le corps. En se développant, ils apparaissent sur les côtés en paires et ailleurs également. Les couleurs et le nombre des chakras varient selon les écoles, les perceptions individuelles et le développement des corps subtils associés. Nous sommes bien loin d'être limités à 7 ou 12 chakras! Il est important de conscientiser également que les chakras débutent sous et dans les pieds. Un facteur négligé par la plupart des écoles.

INDICATIONS À PROPOS DU RITUEL

Le Totem Énergétique (Chi Terrestre et Cosmique) et la connexion des chakras (Unification verticale de l'Être) permet le développement du potentiel et des facultés de l'Être. C'est un des chemins vers la Réalisation de Soi. Elle aide surtout à s'Incarner sur Terre tout en étant fusionné à son Être spirituel et cosmique. C'est la Voie Royale de l'Incarnation. Elle se pratique en position debout, assis ou allongé. Ne pas la pratiquer au volant de votre auto. L'idéal est d'utiliser un baladeur (walkman) au début et de faire la méditation des chakras en marchant.

Pratiquez au moins 3-4 fois par semaine. Remarquez vos réactions et sensations: sommeil, activation, paix intérieure, éveil des émotions, etc. Utilisez au début la cassette ou le DC que vous avez enregistré vous-même. Il est bon d'apprivoiser votre propre voix, donc qui vous êtes.

Vous saurez que vous avez intégré la circulation d'énergie quand:

. Vous ne vous endormirez plus en le faisant
. Vous pourrez le dessiner sans avoir recours aux notes
. Vous n'aurez plus besoin de la cassette ou du DC
. Vous pourrez le faire en marchant
. Vous ne sauterez plus aucune étape
. De nouvelles couleurs, de nouveaux chakras et de nouvelles rencontres énergétiques se produiront
. De nouveaux développements se produiront
. Des changements marqués auront lieu dans votre vie

***

Lire - Enregistrer - Expérimenter - Noter - Dessiner

*(*Lorsque vous enregistrez le texte, laissez du temps et des espaces de silence entre les étapes de chacun des exercices.)*

1. CONNEXION DES CHAKRAS DU CORPS PHYSIQUE (Le Premier Monde)

- Prends le temps de te centrer, de t'intérioriser, de respirer profondément et de laisser aller toutes tes tensions et tes appréhensions. Prépare-toi à l'Unification de ton Être.
- Prends conscience de ta Source de Chi terrestre à quelque distance sous tes pieds. Vérifie si elle existe, si elle est allumée et si elle est suffisamment grande. Elle devrait ressembler à un soleil lumineux. Sinon intensifie sa lumière. Observe la couleur. C'est la Source primordiale de ton individualité.
- Observe si elle est parasitée ou vampirisée. Si oui, coupe le lien de parasitage, identifie la source du parasitage et libère-la en la transmutant par la lumière. Tu feras ainsi pour tous les chakras.
- Tire deux rayons de lumière de ta Source de Chi ter-

restre, laisse-les monter vers tes pieds et se connecter aux deux gros chakras dans le creux sous tes pieds.

- Les chakras de tes pieds, comme tous les autres chakras de ton corps physique, sont doubles, l'un dessous, l'autre dessus le pied. Vérifie leur couleur, leur connexion, leur luminosité. Observe les autres chakras de tes pieds: aux orteils, aux talons, etc. et connecte-les aussi.
- Laisse monter les deux rayons de lumière vers les chakras de tes chevilles, l'un devant, l'autre derrière, puis le long de tes jambes et tes mollets devant et derrière. Observe les couleurs.
- Laisse les rayons de lumière relier les chakras de tes genoux et de tes cuisses, avant et arrière, jusqu'aux petits chakras connecteurs entre la cuisse et le tronc, le long de l'aine. Observe les couleurs et intensifie leur luminosité. Observe s'il y a d'autres chakras le long de tes cuisses et connecte-les aussi.
- À partir des connecteurs de l'aine, laisse les rayons de lumière se relier aux chakras de la base devant et derrière. Observe la couleur et intensifie la lumière.
- Vérifie s'il y a un lien à la base de ta colonne vertébrale qui te relie à une énergie collective. Si oui, coupe-le avec des ciseaux de lumière ou d'argent vif et remplace-le par un chakra que tu crées, à la base de ta colonne vertébrale. Ce lien au collectif empêche ton processus d'individuation, ton autonomie.
- Maintenant, amène les deux rayons de lumière de ta base, l'un vers l'avant jusqu'au hara, l'autre vers l'arrière jusqu'au hara du dos, en passant par le chakra à la base de la colonne vertébrale. Observe les couleurs et intensifie la lumière. Observe s'il y a d'autres chakras dans la région du bassin et connecte-les aussi.
- Puis relie les chakras du Hara aux chakras du plexus solaire avant et arrière. Observe les couleurs et intensifie la lumière. Si tu aperçois d'autres chakras, relie-les tout simplement aux plus grands.
- Amène les rayons de lumière des chakras du plexus jusqu'aux chakras du coeur avant et arrière et observe les

couleurs. Relie les bras qui sont le prolongement du coeur, en connectant les chakras des épaules, des bras, des coudes, des avant-bras, des poignets, des mains, des doigts, en avant et en arrière. Observe les couleurs et intensifie la lumière. Le coeur est le plus vaste chakra.

- Puis relie les chakras du coeur et des bras au cou, en avant au chakra de la gorge et à l'arrière au chakra de la nuque. Observe les couleurs et intensifie la lumière. Connecte les autres chakras s'il y en a.
- Laisse monter les rayons de lumière de la gorge vers les chakras intérieurs de la bouche et laisse sortir de ta bouche un faisceau de lumière. Puis relie le chakra de la nuque aux deux chakras de la lune à l'arrière à l'occiput et laisse émaner de l'occiput un faisceau de lumière.
- Relie les chakras de la bouche aux chakras du troisième oeil en avant, puis relie-les tous au centre du cerveau au chakra qui correspond à la glande pinéale et qui ressemble à un soleil lumineux.
- Maintenant laisse les rayons de lumière relier en avant le troisième oeil aux deux chakras du sonar (chakras en haut du front) et laisse émaner un faisceau de lumière. Relie les chakras du sonar au soleil de ta couronne sur le dessus de ta tête.
- Puis laisse le rayon des chakras de la lune se relier au chakra arrière de ta tête (qui correspond à la tonsure des moînes). Ensuite relie-le au soleil de ta couronne.
- Observe s'il y a d'autres chakras autour de ta tête et relie-les aux autres. Tous les chakras sont interconnectés entre eux et aux deux soleils principaux: au centre et au sommet de la tête. Relie tous ces chakras au soleil au centre du cerveau (glande pinéale). Observe les couleurs et intensifie la lumière.
- Intensifie maintenant l'énergie de la Source de Chi terrestre sous tes pieds et laisse-la circuler de haut en bas dans tous les chakras que tu viens de relier. Observe que certains se mettent à émaner de ton corps tels des rayons lazers.

Dessin (Le Premier Monde):

2. CONNEXION DES CHAKRAS DU CORPS SPIRITUEL (Le Deuxième Monde)

- Maintenant, les rayons de lumière se rejoignent dans le chakra de ta couronne et forment un pilier de lumière qui monte vers le haut au-dessus de la tête. Ce rayon (canal, tube, pilier) en montant relie entre eux tous tes chakras supérieurs jusqu'au plus haut auquel tu as accès consciemment en ce moment.
- Prends le temps de relier tes chakras supérieurs et de solidifier leurs connexions. Tu peux en compter au moins 14: 7 pour ton corps spirituel et 7 pour ton corps cosmique. Prends le temps de les visualiser et de remarquer leurs couleurs et leurs formes. Par la suite tu pourras les dessiner.
- Lorsque tu connectes tes chakras supérieurs, demande-leur de se relier par des jets de lumière aux chakras correspondants de ton corps physique.
- Laisse ta couronne physique se relier aux chakras de ta base spirituelle devant et derrière. Observe la couleur et intensifie la lumière.
- Puis relie les chakras de ta base spirituelle aux chakras du hara spirituel avant et arrière. Observe les couleurs et intensifie la lumière.
- Puis relie les chakras du hara spirituel aux chakras du plexus solaire spirituel avant et arrière. Observe les couleurs et intensifie la lumière.
- Amène les rayons de lumière des chakras du plexus jusqu'aux chakras du coeur spirituel avant et arrière et observe les couleurs.
- Puis relie les chakras du coeur spirituel aux chakras de la gorge spirituelle. Observe les couleurs et intensifie la lumière.
- Laisse monter les rayons de lumière de la gorge spirituelle vers la conscience spirituelle.
- Relie les chakras de ta conscience au soleil de ta couronne spirituelle.
- Intensifie maintenant l'énergie de la Source de Chi terrestre sous tes pieds et laisse-la circuler de haut en bas dans tous les chakras que tu viens de relier.

Dessin (Le Deuxième Monde) :

3. CONNEXION DES CHAKRAS DU CORPS COSMIQUE (Le Troisième Monde)

- Prends le temps de t'installer de nouveau et de te centrer sur le Totem Énergétique.
- Laisse ta couronne spirituelle se relier aux chakras de ta base cosmique devant et derrière. Observe la couleur et intensifie la lumière.
- Puis relie les chakras de ta base cosmique aux chakras du hara cosmique avant et arrière. Observe les couleurs et intensifie la lumière.
- Puis relie les chakras du hara cosmique aux chakras du plexus solaire cosmique avant et arrière. Observe les couleurs et intensifie la lumière.
- Amène les rayons de lumière des chakras du plexus jusqu'aux chakras du coeur cosmique avant et arrière et observe les couleurs.
- Puis relie les chakras du coeur cosmique aux chakras de la gorge cosmique. Observe les couleurs et intensifie la lumière.
- Laisse monter les rayons de lumière de la gorge cosmique vers la conscience cosmique.
- Relie les chakras de ta conscience cosmique au soleil de ta couronne cosmique.
- Intensifie maintenant l'énergie de la Source de Chi terrestre sous tes pieds et laisse-la circuler de haut en bas dans tous les chakras que tu viens de relier.

Dessin (Le Troisième Monde) :

4. LE SOLEIL PERSONNEL

• Ton chakra le plus élevé, le 22e, se nomme ton Soleil Personnel ou ta Source de Chi Cosmique. Lorsque tu le connectes aux autres chakras, il intensifie sa lumière qui rejaillit comme l'eau d'une fontaine de lumière autour de toi.

• Tu crées ainsi un cocon de lumière dont les rayons viennent se connecter à la Source de Chi terrestre sous tes pieds. Observe les couleurs de ton cocon.

• Pendant quelques instants, laisse s'intensifier et circuler l'énergie entre tes deux sources de Chi, terrestre et céleste. Elles sont des piles Yin et Yang, des polarités, qui lorsqu'elles se touchent activent l'énergie et la font circuler. Tu deviens un catalyseur de l'énergie terrestre et cosmique.

• À présent remarque que deux rayons de lumière partent de ton soleil personnel et forment un triangle au-dessus de ton soleil. À une extrémité du triangle se trouve une plateforme de lumière solide. À l'autre extrémité du triangle se trouve une sphère de lumière qui se nomme l'intégrateur cosmique.

• Entre dans ton soleil personnel et explore-le quelques instants. Il se peut que tu y rencontres ton archétype personnel ou des guides. Prends le temps d'échanger avec lui ou elle. Ensuite, circule dans les arrêtes du triangle vers l'intégrateur cosmique. Entre dans la sphère et explore-la.

• Puis continue ton chemin vers la plate-forme. Prends place sur ta plate-forme. C'est un autre lieu de rencontre avec ton Archétype Personnel ou tes guides. Prends le temps d'échanger avec lui ou elle.

• Demande maintenant à ton être supérieur de te faire rencontrer les êtres, les autres archétypes ou les guides que tu as à rencontrer aujourd'hui. Prends le temps d'échanger avec eux sur ta vie ou tout autre sujet pertinent. Lorsque l'échange est complété enregistre bien les messages et reviens les intégrer dans l'intégrateur cosmique. Puis reviens dans ton Soleil Personnel. Redescends à travers chacun de tes chakras supérieurs et reviens dans ton corps physique lentement.

VERSION # 3-4-5

Il existe des versions plus avancées et détaillées du Totem énergétique. Elles seront présentées dans l'ouvrage "La Voie du Totem" qui paraîtra en 2002.

Dessin (Les Trois Mondes) :

La Croix Celtique

La Voie de l'Arbre

La Voie du Totem

La Voie de l'Être

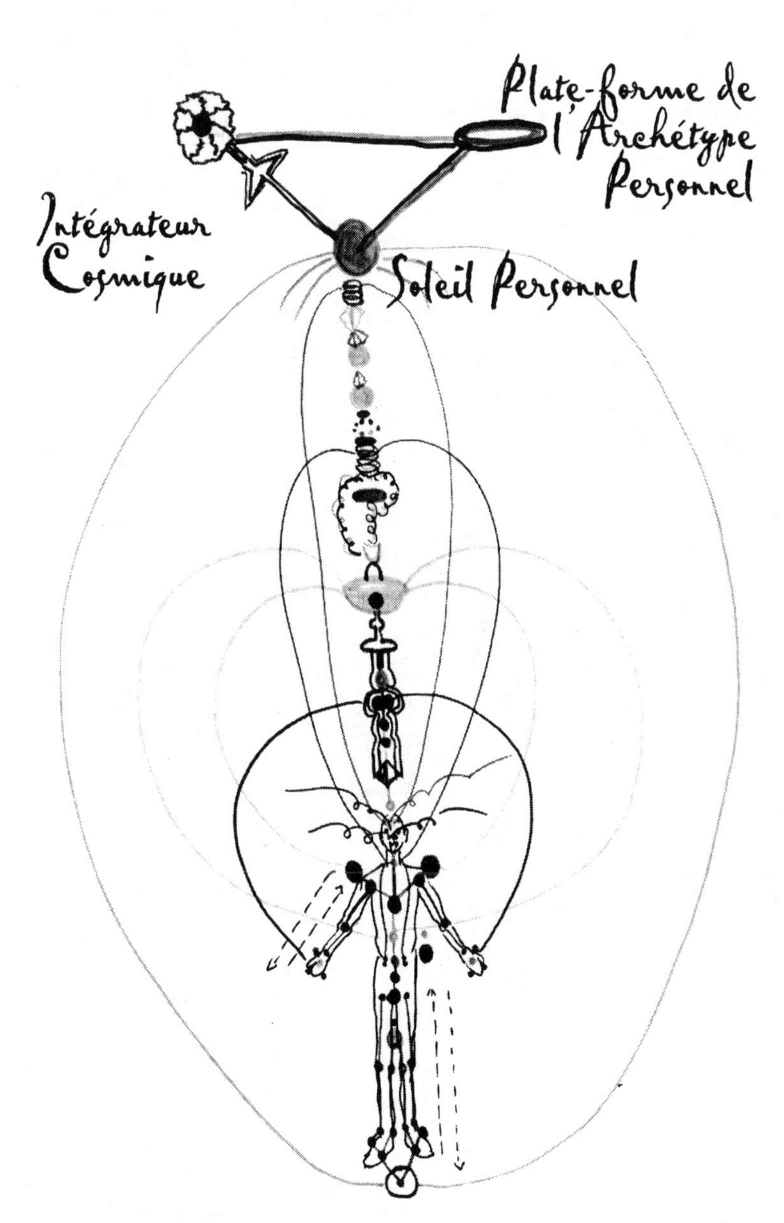

L'Être Arc-en-ciel
The Rainbow Being

Annexes

L'enseignement de l'Art de Mourir est le même que celui de l'Art de Vivre.

Eric Fromm

***

TECHNIQUES DE PROJECTION DE LUMIÈRE SIMPLES ET EFFICACES

YIN

- Demande à la Source divine d'envoyer vers toi des rayons de lumière au-dessus de ta couronne. De quelle couleur sont-ils?

- Place des intentions et des énergies dans cette lumière, qui conviennent à la situation: ex. amour, guérison, détachement, etc. et nomme-les.

- Amène la lumière dans ton canal et canalise-la dans tous tes chakras: couronne, conscience, gorge, coeur, bras, plexus, hara, base, genoux, jambes, pieds, racines et toutes les cellules de tous tes corps.

- Laisse la lumière et l'énergie de guérison remplir toutes tes cellules, tout ton être. Laisse-toi baigner dans cette énergie. Permets-toi de recevoir cette énergie de guérison pour toi-même d'abord, car on ne peut donner ce que l'on n'a pas.

• Quand tu es prêt(e), projette, à travers tes chakras et tes ponts, la lumière vers la personne ou la situation.

• Observe l'action de la lumière. Observe comment la lumière agit sur les ponts et comment l'être ou la situation reçoit cette lumière.

• Accueille que son âme est libre. S'il y a résistance, tout simplement, laisse la lumière l'entourer et le moment venu, s'il choisit d'accepter la lumière pour se guérir, elle sera disponible pour lui.

• Maintenant, prépare-toi à cesser la projection de lumière. Ramène le rayon vers toi et prends le temps d'intégrer.

• Avant de poursuivre, projette la lumière que tu canalises dans l'espace où tu te trouves afin qu'elle continue à agir. *(À utiliser lorsqu'on a le temps: réceptivité, compassion, amour.)*

YANG

• Crée des sphères de lumière de différentes couleurs avec tes mains de lumière remplies de Chi. Place une intention dans ces sphères de lumière et lance-les sur l'être ou la situation pour transformer et transmuter. Le résultat est immédiat, sinon lance d'autres boules de d'autres couleurs *(voir La symbolique des couleurs).*

• Cette technique est plus rapide que le Yin et permet d'éviter l'envahissement de l'inconscient. C'est une méthode plus guerrière.

N.B. *Il est suggéré d'alterner les techniques Yin et Yang.*

TECHNIQUE DE LIBÉRATION DU VAMPIRISME COLLECTIF

- Vérifie s'il y a des ramifications à partir du chakra vers l'extérieur (ex: liens, câbles, tentacules, tuyaux etc.)

- À l'aide de ciseaux d'argent ou d'une épée de lumière, coupe ces liens et cautérise les deux extrémités, celle du chakra et celle du lien.

- Remonte le lien jusqu'à la source vampirisante. Gèle-la de lumière bleu saphir, questionne-la, identifie-la et fais-la sauter par la technique Yang. En général c'est un égrégore collectif.

- Vérifie si la source remonte plus loin encore (ex.: araignée reliée à un vaisseau, reliée à une galaxie, etc.).

TECHNIQUE DE CRÉATION D'UN CHAKRA

- S'il n'y a pas de chakra, il n'y a pas de vie, donc il y a le vide. Assieds-toi au centre du vide de ton chakra. Connecte-toi à la partie de toi qui est un être créateur.

- Demande une étincelle de lumière provenant de la Source. Elle danse devant tes yeux.

- Demande un son provenant de l'univers. Tu l'entends en toi. Marie-le à la Lumière. Une source comme un soleil apparaît. C'est le coeur du chakra.

- Tire des rayons de lumière dans les sept directions: nord, sud, est, ouest, en haut (Au-delà), en bas (Au-d'Ici), au centre.

- À partir de ces rayons, crée une sphère autour du coeur et des rayons.

SYMBOLIQUE DE L'EFFET DES COULEURS

N.B. Se rappeler que l'effet des couleurs est avant tout celui qu'on leur donne.

Suggestions de Sarah:

Rouge:	dynamiser, reconstruire, réparer
Orange:	purifier, brûler, transmuter
Jaune:	énergiser, allumer
Vert :	guérir, apaiser
Turquoise:	guérir le karma; pour moi: relié aux dauphins et amérindiens
Bleu pâle:	guérir, adoucir
Bleu saphir:	conscientiser, immobiliser
Violet:	transmuter
Lavande:	transmuter en douceur
Rose:	apaiser, adoucir, rendre plus Yin, plus joyeux
Argent:	rendre plus Yin, plus féminin, connecter à la Lune
Or:	transmuter, transformer, passe-partout
Cuivre:	purifier, brûler, transmuter électro-magnétiser
Blanc lumineux:	pour certains, amplifier l'énergie christique
Noir espace:	pour certains, amplifier la conscience

Tes suggestions:

Rouge: ______________________________

Orange: ______________________________

Jaune: ______________________________

Vert : ______________________________

Turquoise: ______________________________

Bleu pâle: ______________________________

Bleu saphir: ______________________________

Violet: ______________________________

Lavande: ______________________________

Rose: ______________________________

Argent: ______________________________

Or: ______________________________

Cuivre: ______________________________

Blanc lumineux: ______________________________

Noir espace: ______________________________

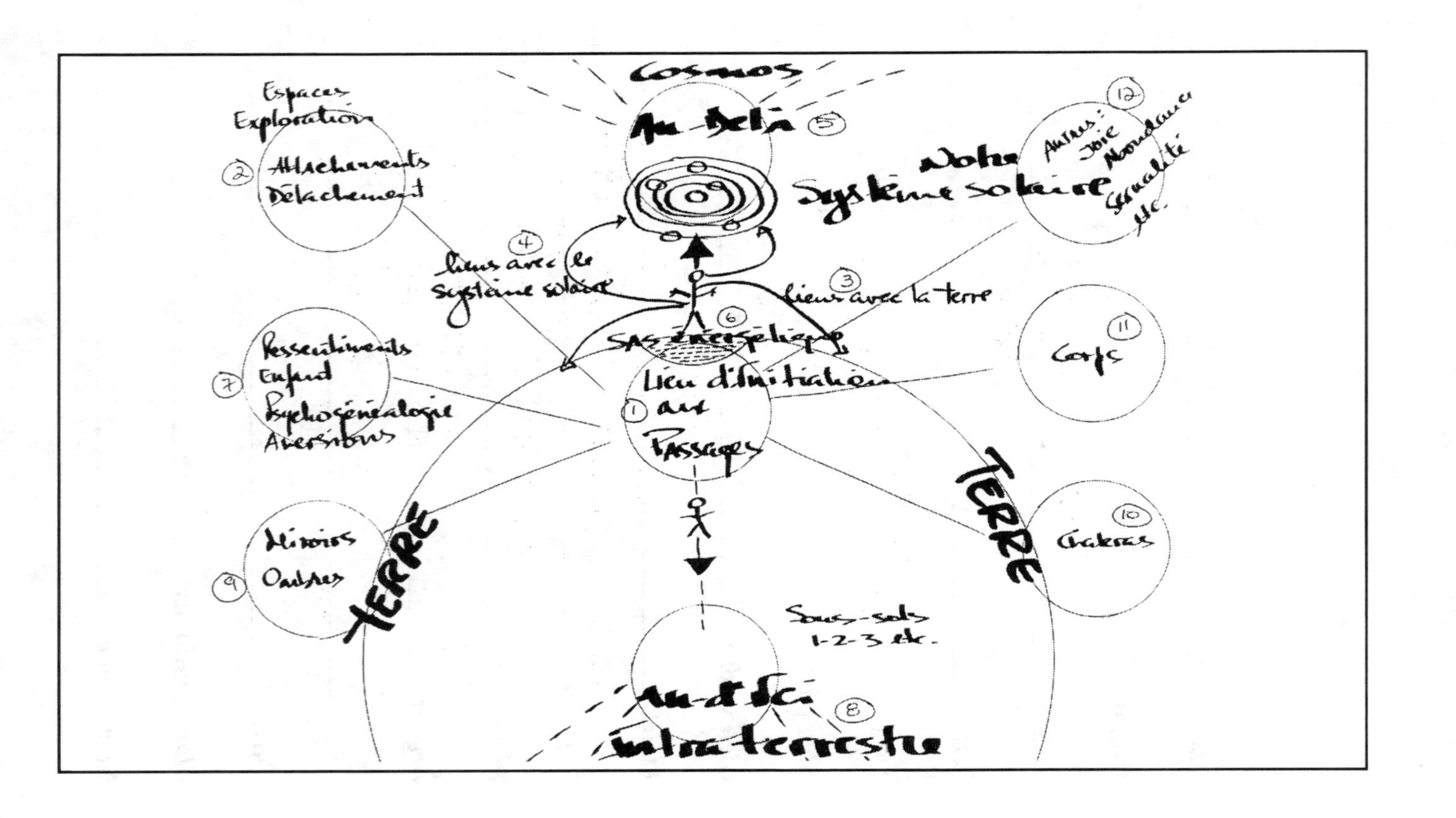

Cosmos
Au-delà
5
Notre
Système solaire
Espaces
Exploration
2
Attachements
Détachement
12
Autres:
Joie
Abondance
Sexualité
etc.
4
liens avec le
système solaire
3
liens avec la terre
6
SAS énergétique
7
Ressentiments
Enfant
Psychogénéalogie
Aversions
Lieu d'initiation
1
aux
Passages
11
Corps
TERRE
10
Chakras
Miroirs
9
Ombres
TERRE
Sous-sols
1-2-3 etc.
Au-delà
8
intraterrestre

La Vision de l'Aigle

LE TOTEM ÉNERGÉTIQUE

La Création de votre Totem énergétique personnel est l'Oeuvre maîtresse de votre vie, de votre incarnation. Le Totem est la manifestation de la véritable connexion entre votre Moi divin et votre Moi humain, entre le non manifesté et le manifesté. Le centre de cet enseignement est le coeur de la Création de votre Moi réel, le coeur de la manifestation de l'Être divin que vous êtes dans le Temple de votre Corps.

Vous pouvez enseigner et guider la Création du Totem énergétique uniquement si vous avez traversé vous-même l'Initiation. Le Totem de la Vie Consciente est constitué d'au moins 22 chakras importants qui sont la Colonne vertébrale énergétique des corps des Trois Mondes. Maintes fois dans le passé ces Totems sacrés ont été détruits. Le non-respect des individus a créé des séparations.

La première attitude à développer est de se respecter soi-même afin de pouvoir respecter les autres. Le respect de soi est une Voie initiatique. Cette voie conduit à la Création de la Colonne vertébrale énergétique de l'Être divin en chacun. Tout dans les corps, physique, spirituel, cosmique, est relié à la colonne vertébrale. S'il n'y a pas de Colonne, il n'y a pas d'Être.

La première partie du corps à créer est la Colonne. Tout y est relié: le cerveau, les bras, les jambes, le tronc, la tête, le système nerveux, les organes. La Colonne est le centre qui soutient toutes les parties du corps ensemble.

Le véritable Totem est la Colonne vertébrale. C'est important de commencer avec ce Totem et par la suite d'y ajuster et connecter toutes les autres parties. C'est là où circulent l'énergie Yin et Yang, l'ascension et la descente, entre la Mère Terre et le Père Ciel. Voilà le véritable corps que vous êtes, créé par la Colonne vertébrale énergétique de votre Être physique, spirituel et cosmique. C'est important de prendre soin de votre Colonne physique et énergétique.

Chacun des chakras ressemble à une vertèbre qui tient la Colonne vertébrale ensemble. L'énergie qui provient de la Source sous vos pieds se compare à la Kundalini qui ascensionne sur un côté, le long de la Colonne vertébrale et descend de l'autre côté. En réalité, l'énergie de la Kundalini monte et descend d'un côté et monte et descend de l'autre côté. Elle relie le cerveau, la glande pinéale, le Soleil central du cerveau et les chakras couronne de tous vos corps. L'énergie circule à travers les vertèbres.

Le corps est fait de la matière de la Terre Mère et de la matière du Ciel Père, l'âme de la Mère et l'Esprit du Père. Lorsque l'Esprit du Père s'unit à l'âme de la Mère, ils créent les êtres que vous êtes, les enfants du Ciel et de la Terre.

C'est important d'éveiller en chacun de vous le respect total de l'Être que vous êtes, car Il est l'enfant véritable du Roi et de la Reine du Royaume de l'Incarnation, au milieu des Royaumes de l'Au-delà et de l'Au-d'Ici.

LE SERPENT COSMIQUE, LE CODE GÉNÉTIQUE ET L'ADN

Voici le passage des espaces extérieurs vers les espaces intérieurs. Le passage du Cercle de Vie, au Totem, à la Cellule, à la réalité microcosmique de la Cellule. Au coeur de la cellule, dans le Code génétique et l'ADN. Le passage des réalités extérieures vers les réalites intérieures qui sont en fait une seule et même chose.

Dans la cellule vous allez explorer l'endroit où la chaîne originelle divine a été brisée. Vous allez rencontrer vos guides de l'ADN afin de réparer, reconstruire, recréer toutes les parties du Code génétique et les connecter au Soleil central qui est l'essence divine de l'Être. Puis vous apporterez de nouveau la Vie à ces reconnexions en activant l'énergie électro-magnétique. Vous laisserez ensuite l'énergie irradier et se répandre dans cet univers et tous les autres. Vous laisserez émaner l'Être divin que vous êtes.

Vous avez fait le passage du macrocosmos au microcosmos qui sont en réalité une seule et même chose. Contemplez dans les deux cas la même situation: réparer, recréer, apporter l'énergie de vie, l'énergie fluide du Chi, et laisser irradier tout ce qui revient à la vie.

L'essence d'un Être divin est d'Être et de Rayonner. Comme c'est simple! Comme c'est magnifique! Devenir son propre Dieu, son propre Univers, Être et Rayonner. Asseyez-vous au centre de votre Être divin, de votre véritable Être. Maintenant, il a été réparé, recréé, reconnecté, activé et il rayonne votre Code génétique divin originel et votre ADN. Vous pouvez à présent vous asseoir au centre de vous-même, dans la gloire de votre centre et rayonner dans les mondes.

Il n'y a plus de temps et d'espace en ce moment. Assis au centre de votre Être divin, vous devenez illimité, vous devenez Un dans la plénitude de tout ce qui est. Que fait cet arbre que vous nommez Hêtre? Il Est, tout simplement. La véritable nature d'un arbre est d'être et de rayonner.

Vous avez créé le pont entre votre Être actuel et l'Être divin que vous avez déjà été, lorsque votre Code génétique divin était intact. À présent que vous avez reconnecté tous vos codages, et que vous avez laissé émaner vos reconnections, tout ce que vous êtes, vous avez fusionné totalement avec qui vous êtes vraiment, qui vous avez vraiment été et qui vous serez éternellement.

Vous avez atteint le seul vrai but de votre destinée, de votre incarnation: être qui vous êtes, qu'importe qui vous êtes. Si vous êtes un arbre, alors soyez un arbre. Si vous êtes un chien, alors soyez un chien. Si vous êtes un lama, soyez un lama. Si vous êtes une montagne, soyez une montagne.

Si vous êtes un être spirituel vivant, incarné sur la Terre Mère, alors soyez-le totalement. Ne vous demandez pas: "Devrais-je être ceci ou cela? Devenir ceci ou cela?"

Simplement soyez totalement qui vous êtes, transparent à votre ego, transparent à votre personnalité, transparent à vos systèmes de croyances. Il n'y a pas de destination. Il n'y a qu'une destinée et la destinée est de devenir qui vous êtes. Vous êtes l'Être divin, assis au centre de son propre Univers.

Suivez le courant. Cessez de vous restreindre. Ne limitez pas votre esprit, votre âme, votre Être. Maintenant que votre Code génétique rayonnne totalement, vous êtes illimité et vous êtes Un.

Soyez en Paix dans le silence du vent, assis au centre de votre Moi véritable, incarné dans cette belle vie qui est la vôtre sur la Terre Mère. HO!

Transmission de Black Eagle
Sutton, Québec, Canada, 22-23 septembre 1998

CONCLUSION

LES PEURS DE VIVRE ET DE MOURIR

En guise de conclusion, j'ai choisi de partager avec vous une entrevue radio qui eut lieu le 6 juillet 1992 à Montréal, à Radio CKVL 8,50 avec Anne-Marie Chalifoux - Émission Nouvelles Avenues de la Santé, Du Soleil aux Étoiles.

Je ne le savais pas, mais cette entrevue était le prémice de la création de la Méthode Samsarah en 1993. Une réponse à la transformation du mal-être en bien-être... Apprendre à mourir pour vivre, apprivoiser la peur de mourir pour vivre... Une année avant la création de la Méthode Samsarah, l'Exploration consciente des Passages...

A: Anne-Marie Chalifoux
S: Sarah Diane Pomerleau

A: Est-ce que tout le monde a des peurs? On rencontre souvent des braves qui nous disent: "Moi je n'ai peur de rien ni de personne".

LA PEUR DE VIVRE

S: Je vois deux attitudes face à la peur. Certains se laissent submerger par la peur, se laissent limiter; pour d'autres, c'est un stimulant. Ça ne veut pas dire qu'ils n'ont pas peur mais la peur leur donne de l'adrénaline et les stimule à se dépasser et à aller plus loin. Pour eux c'est vraiment un moteur d'action qui les pousse à se dépasser complètement.

A: Est-ce qu'on peut transformer une peur paralysante en peur-moteur?

S: On peut transformer une peur. D'abord il faut reconnaître qu'on a une peur, ensuite il faut la nommer. Il y a autant de peurs qu'il y a de gens. Je les ai classées en trois catégories: la peur de vivre, la peur de mourir et la peur de l'inconnu. Derrière ces trois catégories il y a toutes les peurs qu'on peut imaginer.

Il faut nommer notre ou nos peurs. Puis il faut vouloir les transformer. On peut avoir autant d'avantages que de désavantages à avoir peur.

A: Vous dites qu'il y a trois types de peurs. Lorsqu'on a peur de l'opinion des autres par exemple, ça rentre dans quelle catégorie?

S: Il faut aller à la source de cette peur avant de la classer. Il y a des peurs qu'on apprend en tant qu'individu. On peut avoir eu des traumatismes durant notre enfance, une expérience choquante qui nous a marqué. On apprend aussi les peurs de notre famille. Ces peurs passent dans nos cellules, elles sont héréditaires.

A: Une mère qui a peur des chiens ou des orages et du tonnerre par exemple, peut transmettre ses peurs à ses enfants.

S: Exact. On peut aussi apprendre des peurs à l'école. On apprend à avoir peur de l'autorité, des autres, d'échouer ou de réussir. On apprend des peurs de notre société, de l'environnement. Souvent les médias transmettent davantage d'informations apeurantes et négatives que positives.

A: Ça c'est vrai. Je me demande si ce n'est pas un peu politique. C'est beaucoup plus facile de faire faire ce qu'on veut à des gens qui ont peur qu'à des gens qui se sentent confiants.

S: Exactement. On entretient la peur. On se situe dans une époque spéciale. Vous devez connaître, en tant qu'astrologue, les fins de millénaire. Toutes les fois qu'on finit un mille ans, il y a une panique collective dans l'humanité qui se manifeste sous toutes sortes de formes. En ce moment on a de grandes peurs collectives: on a peur du sida, des guerres, des grandes catastrophes, de l'apocalypse, etc.

A: On a aussi des faux prophètes qui génèrent de nombreuses peurs, par exemple de la fin du monde. C'est facile de dire que la fin du monde sera en l'an 2000. La Terre n'a pas 2000 ans.

S: Non. La fin du monde peut être reformulée par la fin d'un monde. La fin d'une façon d'être, de penser, de se relier les uns aux autres.

A: Ça ne se fera pas en 24 heures, le 01 janvier 2000.

S: Absolument pas. C'est une transformation progressive qui se passe à tous les niveaux. Ça se passe chez toutes les personnes qu'elles que soient leurs professions ou quel que soit leur lieu de naissance ou leur race. Il y a une transformation actuellement. Il y a aussi cet état de panique entretenu par les gouvernements et les médias.

A: Il y a une transformation à l'heure actuelle parce que l'on n'a pas le choix. On a cru à certaines choses. On a cru au gaspillage durant les années 1960 par exemple. On a cru à la promiscuité. On a cru que tout était permis. Dans le fond c'est un peu ça notre problème. On se rend compte aujourd'hui que non seulement ça ne mène nulle part mais que c'est en train de causer notre perte.

S: Exactement. Il est grand temps qu'on se réveille et qu'on change nos valeurs.

A: Oui, on veut revenir aux vraies valeurs, mais de façon éclairée cette fois. On veut le faire parce qu'on comprend pourquoi et non parce que c'est un commandement.

S: C'est intéressant parce que la peur c'est l'envers de la lumière et de l'amour.

A: J'ai lu une phrase toute courte qui m'a beaucoup frappée, qui disait que dans le monde il n'y a que deux énergies, deux émotions: l'amour et la peur. Tout le reste, violence etc, proviendrait de la peur.

S: Je crois qu'on s'incarne ou se réincarne, selon nos croyances, pour apprendre à connaître et à transformer nos émotions. La plus importante c'est la peur. Si on remonte dans l'évolution de l'humanité, la peur est même cellulaire. Dans nos cellules on a appris à avoir peur et à survivre. On avait peur des grands animaux, du froid, etc. La peur est en nous mais on revient sur Terre pour dépasser cette peur et la transformer. À partir du constat que la plupart des gens ont peur, on peut aussi se dire que ce qu'on est venus, entres autres, accomplir c'est de dépasser la peur, de se réaliser et d'évoluer pleinement dans notre potentiel.

A: Certaines peurs sont saines, par exemple partir à la course devant un tigre. Sinon il risque de nous bouffer.

S: Ce sont des peurs qui nous protègent. Les peurs peuvent être négatives ou positives. Les peurs positives, l'instinct de protection etc., la peur qui nous stimule à aller plus loin, la peur adrénaline, qui nous stimule à faire du parachutisme ou de la plongée sous-marine, etc.

Parmi les peurs négatives qui nous limitent et nous rendent esclaves, on peut dire que, énormement de maladies sont reliées directement à la peur et ses émotions. Je lisais *Guéris ton corps* de Louise Hay sur les raisons psychosomatiques de nos maladies, et j'ai relevé très rapidement 80 maladies directement reliées à la peur. C'est intéressant de voir que notre pensée crée ce qui nous arrive. Tout ce qu'on pense, négatif ou positif, arrive et parfois sous forme de maladie parce qu'on y croit.

A: Quels types de maladies correspondent ou sont liées à certaines peurs? Dans le langage populaire il y a des expressions qui sont toujours très intelligentes et très sensées comme: "J'ai eu une peur bleue", "J'étais morte de peur", "Elle a eu tellement peur qu'elle a fait dans ses culottes". Beaucoup de gens ont des problèmes d'intestins reliés à la peur. Autant la constipation, où l'on retient, que des diarrhées chroniques qui sont dues à un état de peur chronique.

S: Même dans la définition du dictionnaire on dit que la peur est "une crainte violente qu'on éprouve en face ou en présence d'un danger réel ou imaginaire". Cette crainte amène des transformations dans le corps. Si vous avez peur, vous pouvez avoir des palpitations cardiaques, des sueurs, vous pouvez devenir très glacé. On a vu des gens dont les cheveux blanchissaient suite à un choc. On se crispe, on a des crampes d'estomac car souvent le siège des émotions est à l'estomac ou au ventre. On est tendu, crispé, refermé sur soi-même. Les maladies reliées à la peur conduisent souvent à un disfonctionnement alimentaire, par exemple la boulimie ou l'anorexie. Toutes les maladies reliées au système digestif et au système d'élimination sont souvent reliées à la peur. L'anémie, l'appauvrissement du sang. Peut-être que toutes les maladies finalement sont reliées à la peur avec des variantes. Il y a aussi des sentiments comme la culpabilité, le ressentiment, la colère, qui vont empirer l'état de santé. Les migraines, les vomissements. Tous les problèmes de digestion. La peur est à la base de ce malaise qui s'installe en nous.

A: Les difficultés à avancer aussi comme l'arthrite, le sciatique, les douleurs aux articulations. On a peur d'avancer.

S: Ça entre dans la catégorie la peur de vivre.

A: C'est quoi la peur de vivre?

S: Si on demandait aux gens "Qu'est-ce que c'est vivre?" on aurait différentes définitions. Pour moi, vivre c'est avoir cette capacité de s'émerveiller, d'apporter de la joie dans sa vie, d'avoir du plaisir, de jouïr, de pouvoir changer, se transformer, d'être conscient de qui on est, d'apprendre à se connaître. C'est toute une série d'actions, vivre, qui ne sont pas nécessairement évidentes quand on ne s'asseoit pas pour y penser. Souvent les meilleurs vivants sont ceux qui n'y pensent pas d'ailleurs.

Si on a peur de vivre, on a peur d'avancer dans la vie on risque de stagner, d'être immobilisé. C'est une des caractéristiques de la peur. Quand on a très peur on s'immobilise.

A: Vivre c'est de se transformer. Quelqu'un dirait "Moi je n'ose pas changer parce que mon mari ne le prendra pas, ou parce que mon patron n'aimera pas ca". C'est la peur de vivre.

S: Oui parce qu'on a calqué beaucoup de nos comportements non pas en fonction de nous-même, parce qu'on a appris que penser à soi c'était égoïste. Ça aussi c'était une des fonctions de notre éducation. On a appris qu'être en relation avec soi et penser à soi c'était égoïste. Donc on calque nos comportements et notre vie sur les désirs des autres. On apprend à faire plaisir aux autres, à faire tout pour les autres. On s'oublie quelque part et on dégénère. C'est une attitude à transformer. Il y a une façon d'être en contact avec soi qui n'est pas égocentrique, qui est une façon saine d'être en contact avec soi et de pouvoir évoluer là-dedans.

Je reviens à certaines maladies dont j'ai oublié de parler, pas nécessairement des maladies mais des comportements, par exemple la frigidité, l'impuissance. Plusieurs comportements sexuels sont reliés à des peurs qu'on a éprouvées durant l'enfance, par exemple les abus sexuels faits aux enfants. Ça laisse une peur qui continue à se manifester dans la vie de l'adulte. C'est une peur qui n'est pas reliée au présent mais qui vient du passé. C'est dommage car la personne peut trainer toute sa vie une peur qui va la paralyser, l'immobiliser, finalement lui enlever son pouvoir personnel.

A: Mais avec de l'aide pourrait-elle s'en débarrasser?

S: Une fois qu'une personne décide qu'elle veut transformer sa peur c'est important qu'elle aille consulter. Il y a différents types de consultation. Vous pouvez aller en thérapie traditionnelle ou en thérapie alternative. Utiliser l'imagerie mentale pour identifier et transformer les peurs. La méditation aussi est une des façons de transformer les peurs. Il y a différentes approches parallèles qui vont permettre à la personne d'identifier les raisons de ses peurs, et voir ce qu'elle veut en faire.

Le plus important, une fois que c'est identifié et qu'on a commencé une démarche, c'est d'agir, de passer à l'action. Passer à l'action veut dire de vraiment manifester qu'il y a un changement. Ça peut être de faire des choses qu'on avait jamais faites avant. On n'est pas obligés de sauter en parachute. Relever des petits défis, introduire dans sa vie des choses nouvelles, des choses qu'on avait pas faites. Changer d'apparence, changer de coiffure. Manifester de façon concrète et réelle le changement. Pas seulement dire "Je suis en thérapie et je sais d'où vient ma peur". Agir c'est très important.

A: Ça c'est vivre.

S: Agir c'est vivre.

LA PEUR DE MOURIR

A: La peur de mourir n'est pas seulement la peur de la mort... Ça va plus loin que ça.

S: La peur de mourir peut être en partie une peur de la mort. Pourquoi on a peur de la mort? Si on a peur de vivre on a peur de mourir. Tout ça c'est une question de croyances. Pour plusieurs personnes, mourir c'est disparaitre, c'est de dire: “après la mort il n'y a plus rien”. De plus en plus cette croyance change. On le sait parce qu'il y a des gens qui sont revenus.

A: Avant on disait “Personne n'est venu nous le dire”. Maintenant il y en a qui sont revenus nous le dire.

S: Ils sont allés dans le tunnel.

A: Ils sont morts et ils ont été réanimés. Ils sont revenus nous le dire. Au début, ces gens-là ne se connaissaient pas et partout dans le monde ils tenaient le même discours.

S: Notre idée de la mort est en train de changer progressivement à cause de ces gens-là entre autres. C'est très concret. Ils ont vu ce qu'on appelle la Lumière. Souvent ils ne voulaient pas revenir. On leur a dit: "Revenez car vous n'avez pas fini, vous avez quelque chose à accomplir." Si notre idée, notre croyance de ce qu'est la mort se transforme, il n'y a plus de raisons d'avoir peur de la mort. Car avoir peur de la mort c'est aussi avoir peur de l'inconnu. Qu'est-ce qu'il y a après la vie? Qu'est-ce qu'il y a après la mort? Ce qui fait le plus peur aux gens c'est la souffrance reliée à mourir. Les gens ont vu des personnes mourir dans la souffrance. C'est peut-être davantage une peur de la souffrance finalement.

Mourir ça peut être plus que la mort. Mourir ça peut être statique, ça peut être immobile. On ne fait rien. C'est le contraire d'agir. On arrête complètement notre évolution. On arrête de bouger. Ça aussi c'est mourir. Mourir à soi-même et stagner.

A: Hélas il y a beaucoup de gens, dans ce sens-là, qui sont morts à l'heure actuelle. Ils vivent leur vie un peu comme des robots. Ils font ce qui est commandé par le patron ou le conjoint à la maison. Ils ne se connaissent plus. Ils se sont perdus de vue. Ils n'ont plus de plaisir avec eux-mêmes. Ces gens-là devraient être très embêtés j'imagine. Je trouve qu'aujourd'hui vous avez soulevé une question importante. On se demande "C'est quoi vivre?" Ce n'est pas évident qu'on va trouver une réponse. Vivre c'est... On va être plusieurs après l'émission à se demander "Vivre c'est quoi?"

S: Ça peut être très simple aussi. Il faudrait faire une enquête. Si je vous demandais par exemple Anne-Marie, pour vous quel est le contraire de "J'ai peur"?

A: Il y a l'amour ou la peur. L'amour est l'antidote de la peur. Pour moi l'amour est un synonyme de joie. La joie est le contraire de la peur pour moi. Une espèce de liberté, d'insouciance, de légèreté et de mouvement. J'ai l'impression que la peur paralyse. J'ai eu peur d'avoir peur. Je me prenais une journée avant. Je prenais mes lundis pour avoir peur. Ce n'est pas grave, je trouverai mon sujet lundi prochain. Une journée j'avais peur de l'impôt, une journée j'avais peur de la maladie, un lundi j'avais peur de la dépression. Je me sentais obligée d'avoir peur. À l'époque, vivre c'était avoir peur.

S: Vous êtes arrivée à dépasser cette peur-là et à vivre. Peut-être que vous pourriez nous parler de vos solutions créatrices par rapport à cette peur? Qu'est-ce qui vous a décidée du jour au lendemain à dire "Là ça suffit j'arrête d'avoir peur". Vous avez fait quoi?

A: Elle va me voler mon emploi... (*rires*) Moi je crois à l'alimentation. Je me suis rendue compte que certains aliments généraient chez moi beaucoup de peurs et beaucoup d'anxiété. Particulièrement au coucher et au réveil. J'ai aussi fait de l'Imagerie mentale et j'ai reprogrammé ma disquette cérébrale pour y mettre de plus beaux messages que ceux de la peur. Je trouve que nous sommes une génération qui a grandi dans la peur. On a été élevés dans le contraire de l'attitude positive. L'attitude positive c'est le faire semblant. Comme si c'était déjà acquis. Ça m'est déjà acquis par droit divin. Je l'ai. Combien de mères disent "Faut pas faire la chambre du bébé d'avance ça va porter malheur." La superstition est une des formes de la peur. C'est terrible.

S: Il faut faire une distinction entre ce qu'on a appris de la religion, qui est différente de la spiritualité. On a appris à avoir peur du diable, de l'enfer, du ciel, du plaisir, du mal, du péché. Nous, particulièrement au Québec, on a appris beaucoup de peurs par la religion et l'école.

A: On a appris par la peur. C'est ça qui est dommage. Quand toutes les religions au départ veulent véhiculer le même message qui est un message d'amour universel. Mais je n'ai pas réglé toutes mes peurs. J'ai encore peur des escaliers. Pas de les monter. J'ai peur de les descendre. Je sais d'où ça vient mais ce n'est pas réglé...

Sarah Diane Pomerleau vous avez beaucoup de cordes à votre arc. Vous donnez des conférences, vous prononcez des causeries, vous animez des ateliers, vous faites de la consultation individuelle.

Avez-vous d'autres trucs à nous donner pour transformer nos peurs?

S: Il faut respecter le processus :

1. Identifier ses peurs
2. Les reconnaître
3. Les nommer
4. Voir les avantages et les désavantages
5. Vouloir changer
6. Aller consulter un thérapeute si nécessaire
7. Passer à l'action, faire des rituels, écouter ses rêves, etc.

Il faut nommer même les petites peurs banales comme celle des escaliers. Car elle peut révéler un très profond et très lointain traumatisme. Un choc très profond qu'on a parfois oublié ou occulté. Il ne faut jamais minimiser nos peurs. Vous pouvez avoir peur d'une cuillère qui vous rappelle une expérience traumatisante.

A: Prenons mon exemple d'escalier. Ce n'est pas nécessairement parce que j'ai déboulé un escalier.

S: Ça peut être symbolique. Voilà où jouent l'inconscient, le subconscient et le conscient. Donc une fois la peur nommée, en voir les avantages et les désavantages. Si elle nous donne plus qu'elle nous enlève, on n'aura pas envie de changer. Il y a des gens qui ont beaucoup d'avantages à avoir peur. Les gens parfois choisissent d'être malades pour se faire dorloter. C'est un avantage. Ça attire l'attention.

Suite à ceci si vous choisissez d'aller consulter, il y a la panoplie des thérapies, par exemple l'hypnose, car ça peut être une peur phobie. Vous pouvez avoir une peur obsédante. Toutes les formes de thérapies traditionnelles ou non. Certains exercices comme la méditation sont très bénéfiques, parce que vous entrez en contact avec votre être profond. Les gens ont de la difficulté parfois à entrer en contact avec qui ils sont vraiment. C'est là qu'on rencontre nos peurs intérieures, celles qu'on a parfois de la difficulté à nommer.

Suite à cette consultation, où vous avez identifié d'où vient la peur et que faire avec, là vous passez à l'action. C'est là que c'est vraiment intéressant. De réaliser, rendre conscient quelque chose qui était inconscient. Il y a mille solutions créatrices pour passer à l'action. Chacun en a.

Une de celles que moi je trouve intéressantes est ce qu'on appelle le rituel. On peut faire un rituel très simple ou très complexe. Pour faire un rituel, je vais vous donner un exemple simple. Écrivez vos peurs sur un papier et vous le brûlez ou l'enterrez. Vous les écrivez sur un ballon et le laissez s'envoler avec vos peurs. Les rituels sont des gestes intéressants que même un enfant ferait. Ce sont des gestes simples qui nous rapprochent de notre enfant intérieur.

A: Au début, je trouvais les rituels simplets jusqu'à ce que je les expérimente et que je les suggère à d'autres.

S: J'allais oublier quelque chose de très important, les rêves. Parfois on a de l'information au sujet de nos peurs dans nos rêves. Quand vous faites des rêves, le rituel peut être utilisé: par exemple vous rêvez que vous vous achetez un chandail rouge et bien allez vous en acheter un. Vous allez voir que ça donne une force incroyable et une prise dans la vie. C'est comme si vous manifestiez ce qui est inconscient, vous le manifestez dans le monde conscient. Ça donne beaucoup de pouvoir. Souvent nos peurs réelles se manifestent dans nos rêves. Ils m'ont beaucoup appris sur ma propre vérité de vie.

A: C'est très intéressant. Vous êtes une mine de renseignements et d'informations. On va devoir vous faire revenir. Ce fut très éclairant au sujet de la peur aujourd'hui. On peut la reconnaître, la nommer, évaluer les avantages et les désavantages, la transformer, l'écrire sur un papier, le brûler ou l'enterrer.

S: Si c'est une peur qui envahit votre vie, passez par la consultation au sens large. Allez consulter des gens qui peuvent vous soutenir pendant le temps où vous allez dépasser votre peur. Quelle que soit la forme, avoir recours aux autres quand on veut se transformer ce n'est pas une faiblesse, c'est un support. Après, passez à l'action. Agissez. Par exemple, si vous avez peur de partir en voyage, partez. Confrontez votre peur. Affrontez-la. Regardez-la droit dans les yeux. Peut-être ce qui est le plus difficile finalement dans la vie c'est de se regarder en face. Un miroir aussi c'est pas mal.

A: Merci beaucoup. J'espère qu'on aura le plaisir de vous ré-entendre.

Sarah Diane Pomerleau

Sarah Diane Pomerleau (M.Ed.), psychothérapeute d'allégeance jungienne, chamane, Maître Reiki, auteure, éditrice, journaliste et conférencière internationale, a créé et élaboré, depuis 1993, **LA MÉTHODE SAMSARAH** (md), L'Exploration consciente des Passages, la Thérapie des Passages.

Cette approche propose des Techniques et des Rites de Passages d'autoguérison et d'accompagnement de la naissance, de la vie, de la mort et de l'après-vie, à la portée de tous. Ces enseignements sont transmis au cours de séminaires de Formation pour Thérapeutes Guides des Passages, Passeurs de Terre, en Europe, en Amérique et en Australie.

Elle a fondé **SAMSARAH** *rainbow planet*, une maison d'édition et un centre de recherches pour l'éveil de la conscience. Elle anime des ateliers et des séminaires en Delphinothérapie, Énergies Runiques, Chamanisme (La Voie du Totem, ou La Voie de L'Arbre), Rêves, Exploration consciente des Passages (La Méthode Samsarah), Antigymnastique, Imagerie mentale, Catharsis, Exploration et Reprogrammation du Code génétique et de l'ADN.

Elle organise des voyages initiatiques en Égypte (Le Retour d'Horus le Faucon Blanc), en Transmutation Chamanique (Arizona, Utah, Nouveau Mexique, Montana, Ouest canadien), en Druidisme (Écosse, Angleterre, Irlande, Bretagne, Suisse), en Interprétation des Rêves (Grèce, Australie, Bali) et en Delphinothérapie (Bahamas, Hawaii, Sinaï, Mer Rouge, Australie) où elle accompagne des personnes nager avec les dauphins et les baleines en liberté.

Elle est l'auteure de: *"L'Au-d'Ici vaut bien l'Au-Delà", L'Oracle du Guerrier Intérieur", "L'Étoile", "Dialogues avec l'Aigle", "Rites de Passages conscients pour une nouveau millénaire", "Samsarah, l'Exploration consciente des Passages, Tomes 1-2"* et bientôt, *"La Méthode Samsarah", "Les dauphins, les passages et l'ADN"* et *"Le Retour d'Horus le Faucon blanc".*

Sarah Diane est membre de *"The American Association for the Study of Dreams", "The American Society of Dowsers", "The American Association for the Study of Mental Imagery"* et *"L'Association Nationale des Naturothérapeutes"* (émission de reçus pour fins d'assurances et d'impôts au Québec, en Ontario et au Nouveau-Brunswick).

RENSEIGNEMENTS ET PROGRAMME
(www.samsarah.ca)

Sarah Diane Pomerleau
SAMSARAH rainbow planet
C.P. 312, Saint-Jean-sur-Richelieu, (Québec) Canada J3B 6Z5
Téléphone: 450-358-5530
Télécopieur: 450-359-1165
Courrier électronique : samsarah49@hotmail.com
Sites Internet : samsarah.iquebec.com
www.samsarah.ca

Les Formations

1. La Méthode **SAMSARAH (md)**:
   l'Exploration consciente des **PASSAGES**,
   la Thérapie des Passages (2 X 5 jours) Niveaux 1 et 2
2. La Voie du **TOTEM**: Chamanisme, Alchimie, **TRANSMUTATION** (4 X 5 jours)
3. La psychologie de l'Inconscient, le symbolisme des **RÊVES**, les signes de jour et l'Imagination active (11 X 2 jours)

Les Ateliers

1. La **CATHARSIS**: la Thérapie des Tunnels (3 jours)
2. Les Énergies **RUNIQUES** (2 jours)
3. **ÉCRITURE**: Depuis l'enfance on porte un livre en soi (9 jours)
4. Les **DAUPHINS**, les Passages et l'**ADN** (5 jours)
5. Écoute ton Char! **MON AUTO = MON MIROIR** (1 jour)
6. **L'ANTIGYMNASTIQUE** et l'imagerie mentale (2 jours)
7. Les RÊVES, les Signes de jour et l'Imagination active (2 jours)

Les Sessions Privées

1. Psychothérapie (Approche jungienne)
2. Dialogues avec l'Aigle et Horus le Faucon Blanc (Canalisation)
3. La Voie du Totem (Chamanisme, Alchimie, Transmutation)

4. Interprétation des Rêves
5. La Catharsis: La Thérapie des Tunnels (Mémoires occultées)
6. La Méthode Samsarah: l'Exploration consciente des Passages. Niveaux 1-2
7. La Reprogrammation cellulaire du Code génétique et de l'ADN
8. Équilibre énergétique des corps subtils et des chakras
9. Autoguérison des mémoires et Intégration des acquis

Les Voyages Exploratoires

1. Bahamas et Hawaii, Mer Rouge (Égypte, Sinaï, Israël), Australie: Les Dauphins, les Passage et l'ADN
2. République Dominicaine et Hawaï (Les Baleines)
3. Arizona, Utah, Montana, Ouest Canadien (La Voie du Totem et Dialogues avec l'Aigle)
4. Égypte (Le retour d'Horus le Faucon Blanc, la remontée du Nil)
5. Écosse, Angleterre, Irlande, Bretagne, Suisse (Les Énergies Runiques, La Voie du Totem et Dialogues avec l'Aigle)
5. Pérou et Australie (La Voie du Totem, Dialogues avec l'Aigle et Rencontres avec Horus le Faucon Blanc)
6. République Dominicaine (Les Baleines)

Les Conférences

1. Les Dauphins, les Passages et l'ADN
2. Rites de Passages conscients pour un nouveau millénaire
3. La Méthode Samsarah (md): l'Exploration consciente des Passages, la Thérapie des Passages

N.B.*LES FORMATIONS ET LES ATELIERS PEUVENT ÊTRE OFFERTS EN SESSIONS PRIVÉES

****TOUTES LES ACTIVITÉS PEUVENT ÊTRE OFFERTES DANS VOTRE RÉGION SUR DEMANDE***

LA MÉTHODE **SAMSARAH** md

L'exploration Consciente des Passages
La Thérapie des Passages

QU'EST-CE QUE C'EST?

Une approche thérapeutique et spirituelle pour accompagner les êtres à se préparer consciemment au Passage (mort ou naissance), à faire le Passage de la mort ou à traverser les Passages de la vie (perte d'un être cher, deuil, séparation, divorce, déménagement, perte d'emploi, burn-out, désir de suicide, manque de sens à sa vie, manque de confiance en soi, refus de son incarnation, dépression, idées suicidaires, etc.) et les Passages de l'âme.

D'OÙ VIENT CETTE APPROCHE?

Elle a été créée et élaborée depuis 1993 par Sarah Diane Pomerleau (M.ED.), psychothérapeute d'allégeance jungienne. Elle était déjà pratiquée sous d'autres formes en Ancienne Égypte, au Tibet, par les Druides, les Celtes, les Amérindiens et les Aborigènes Australiens, entre autres.

COMMENT SE PRATIQUE-T-ELLE?

En état de détente, assis ou allongé. Le sujet, guidé par un(e) Thérapeute Guide des Passages, Passeur(e) de Terre ou Passeur(e) d'Âmes, rencontre et autoguérit ses espaces intérieurs de détachement, de ressentiment, d'enfant blessé, de transmission généalogique, de pardon, d'estime de soi, d'ombres, etc. Il apprend à apprivoiser ses peurs de vivre et de mourir et le mystère de l'inconnu après la mort.

QUELS SONT LES RÉSULTATS DE CETTE MÉTHODE?

Pour les personnes en phase de fin de vie, la paix intérieure, le pardon, la sérénité, la libération, la compréhension. Pour tous, l'Autoguérison de l'âme, l'Apprivoisement des peurs, l'ouverture du Coeur et de la Conscience, la Transformation des croyances limitatives, le retour à l'Essentiel et au sens profond de la Vie, la Réconciliation avec l'Incarnation, la Transmutation, la reprogrammation cellulaire du Code génétique et de l'ADN, la Libération, la Réalisation de Soi, l'Individuation de l'Être.

Y A-T-IL UNE FORMATION À CETTE APPROCHE?

Oui, il est possible d'expérimenter pour soi-même la méthode ou de devenir intervenant en suivant une formation de 10 jours (2 X 5 jours).

OÙ SE DONNENT LES FORMATIONS?

En Amérique, en Europe et en Australie. Certains séminaires sont jumelés à la nage avec les Dauphins en liberté aux Bahamas et à Hawaii.

PROGRAMME NIVEAU 1 (5 jrs) :
RITUELS POUR ACCOMPAGNER LES PASSAGES DE LA VIE ET DE LA MORT

- L'espace des attachements/Le détachement
- L'espace des ressentiments/La libération
- L'enfant intérieur/L'enfant Divin
- La psychogénéalogie
- L'espace du miroir/L'amour de soi/Ses ombres
- L'Au-delà/L'Au-d'Ici (Moi supérieur et Subconscient)
- L'Exploration des chakras et du corps physique
- Les Mémoires de vies de Passeur

PROGRAMME NIVEAU 2 (5 jrs) :
RITUELS POUR AUTOGUÉRIR LA SÉPARATION DE L'ÊTRE ET REPROGRAMMER LE CODE GÉNÉTIQUE ET L'ADN

- Le Cercle de Vie consciente des chakras
- Le Cercle de Vie consciente des corps
- Le Totem énergétique (Unification verticale de l'Être)
- Le Serpent cosmique (Code génétique et ADN)
- Explorations multidimensionnelles: (les nouveaux espaces):
  La caverne des mémoires
  La pyramide des acquis
  Les scénarios du futur
  Un Rituel libre d'engagement envers son Être

BON DE COMMANDE
DES CASSETTES AUDIO

Si vous préférez utiliser les cassettes audio ou DC pré-enregistrés de chacun des rituels, vous pouvez les commander à l'adresse suivante:

SAMSARAH rainbow planet
Sarah Diane Pomerleau
C.P. 312
St-Jean-sur-Richelieu
Québec Canada J3B 6Z5
Tél: 450-358-5530
Fax: 450-359-1165
Courriel: samsarah49@hotmail.com

N.B. Les cassettes ou DC vous seront postés sur réception d'un chèque certifié ou mandat-poste au montant de 15 $ can. par cassette (frais de poste au Québec inclus).

COCHEZ LE OU LES TITRES DÉSIRÉS:

1. **Préparation et détente** .... ☐
2. **Le Cercle de vie consciente des Chakras** .... ☐
3. **Le Cercle de vie consciente des Corps** .... ☐
4. **Le Serpent cosmique: le Code génétique et l'ADN** .... ☐
5. **Les Explorations multidimensionnelles** .... ☐
    - Les autres espaces
    - La pyramide des acquis
    - La caverne des mémoires
    - Les scénarios du futur
    - Un Rituel libre d'engagement envers son Être
6. **Les Mémoires de vies de Passeur** .... ☐
7. **Le Totem énergétique: l'Unification verticale de l'Être** .... ☐

BON DE COMMANDE
DES AFFICHES ET BOUGEOIRS

N.B. L'affiche ou le bougeoir vous sera posté sur réception d'un chèque certifié ou mandat-poste.

Cochez l'item désiré:

AFFICHE ☐ quantité ______ Prix (15$ can.)
(frais de poste au Québec inclus)

BOUGEOIR ☐ quantité ______ Prix (17$ can.)
(frais de poste non-inclus)

PUBLICATIONS EN FRANÇAIS

chez **SAMSARAH** *rainbow planet*

L'Au-d'ici vaut bien l'Au-delà
de Sarah Diane Pomerleau

La vie et la mort sont des voyages initiatiques, tout comme cet ouvrage. Sarah Diane Pomerleau y relate, à travers les étapes de sa vie personnelle et transpersonnelle, dans l'Au-d'ici et dans l'Au-delà qui est à l'intérieur de Soi, la voie parsemée d'épreuves, d'illuminations et de détachements qui la conduit de l'enfer au paradis, pour revenir avec grâce à la Terre et accomplir sa mission d'incarnation.

ISBN: 2-921861-3-8

Les Âmes Soeurs
de Sylvie Petitpas

À travers ce récit-témoignage de la rencontre de deux âmes soeurs, nous découvrons l'importance d'être à l'écoute de notre coeur et en contact avec l'âme qui habite notre enveloppe terrestre. L'Âme-soeur comme outil d'évolution, comme propulseur vers l'accomplissement de notre mission sur Terre.

ISBN: 2-921861-4-6

L'Oracle du Guerrier Intérieur
de Sarah Diane Pomerleau

Une réflexion quotidienne pour le développement de votre pouvoir personnel. Ce livre peut être lu en ordre chronologique ou “au hasard” en choisissant une citation qui répond à une question, tel un oracle, tel le tarot ou le Yi-King.

ISBN: 2-922211-01-0

L'Étoile
de Sarah Diane Pomerleau

Un conte initiatique. Une femme seule au milieu de sa vie contemple une rivière. Des visions fantastiques l'assaillent, un dragon lui parle, les jours passent. Elle ne sait plus rien du réel ou de l'irréel. Pourtant la solution se présente.

ISBN: 2-9803422-6-2

Dialogues avec l'Aigle et les Maîtres de l'Arc-en-Ciel, Tome 1
de Sarah Diane Pomerleau

Dans le silence du désert...lorsque l'esprit amérindien rencontre l'âme occidentale, ils créent une Voie de l'Ascension, des rituels chamaniques pour un nouveau millénaire et la Planète Arc-en-Ciel.

ISBN: 0-9684784-2-5

J'ai pour toi... un jour
de Maria Côté

Cet ouvrage porte la trace du Spina-Bifida. Un récit-témoignage touchant pour donner du courage et de l'espoir à toutes les personnes qui souffrent.

ISBN: 0-9683775-8-0

Les Autres Royaumes nous parlent, Tome 1
de Helena Hawley

Helena Hawley vit dans la région de Chester en Angleterre. Elle a le don de communiquer avec les arbres, les animaux et d'autres espèces vivantes. Dans cet ouvrage, elle nous livre leurs messages.

ISBN: 0-9684784-5-X

Êtres aux Passages de la Vie
de Françoise Moquin
et Michèle Blanchard

Les individus qui vivent avec le Sida sont des guerriers d'amour qui frappent à la porte de nos coeurs en quête d'un peu de Compassion.
(Guy Corneau)

ISBN: 0-9684784-6-8

Les Autres Royaumes nous parlent Tome 2
de Helena Hawley

"Pour que la Terre retrouve son équilibre ou sa direction, il faut que vos gens réapprennent que les plantes, les animaux, les minéraux, les esprits de la nature et eux ne font qu'Un et qu'ils sont aussi essentiels qu'eux à la survie de la planète.
(Linda Tellington-Jones)

ISBN: 0-9684784-7-6

À chacun son arbre
de Robert Internoscia

Guide de survie en forêt pour l'âme et le coeur. Ce livre traite de l'énergie qui se dégage des arbres, des messages qu'ils nous transmettent et de l'appui quotidien qu'ils nous offrent. Il décrit le lien prévilégié que les humains peuvent avoir avec les forêts et les esprits de la forêt. Il souligne l'apport que chaque essence d'arbre peut insuffler à notre cheminement spirituel.
ISBN: 0-9683775-9-9

Les Guerriers de Lumière
Tome 1 - L'Amour
de Jean-Yves C. Labonté

Ce premier tome des Guerriers de Lumière porte essentiellement sur le thème de l'Amour. On peut passer des vies entières à chercher l'Amour sans jamais le trouver, tout simplement parce qu'on a oublié ce à quoi il ressemble. Quand et en quelles circonstances peut-on écrire l'Amour avec un grand "A"?
ISBN: 1-894750-00-4

Samsarah: L'Exploration consciente des passages Tome 1
de Sarah Diane Pomerleau

Des rituels contemporains utilisés par les Passeurs de Terre: le détachement, la libération du ressentiment, etc.
ISBN: 0-9684784-0-9

Rites de Passages Conscients pour un nouveau millénaire
de Sarah Diane Pomerleau

Une approche psychothérapeutique et spirituelle, créée par Sarah Diane Pomerleau, pour accompagner, avec Compassion, les Passages de la naissance, de la vie, de la mort et de l'âme.
ISBN: 0-9684784-1-7

La Voie du Totem
de Sarah Diane Pomerleau

Suivre la Voie du Totem et être Chaman en l'an 2002, c'est d'abord se tenir debout, libérer et transmuter ses limites et ses peurs, s'affranchir de la manipulation, guérir la Séparation, refaire l'Unification verticale des dimensions de son Être, reprogrammer son héritage cellulaire, réactiver son pouvoir de manifestation, puis...reprendre sa place comme co-créateur dans l'Univers.
ISBN: 0-9684784-4-1

Alliance Universelle - l'Amour dévoilé
de Rosy Porrovecchio

Ce livre est une démarche de Libération par l'Éveil de la conscience. La magie de cet ouvrage est de nous placer en face d'un véritable miroir. Ce n'est plus un livre dont on tourne les pages que l'on tient entre ses mains, mais un miroir dont on tourne les infinies facettes. L'auteure utilise sa propre expérience de vie pour nous parler de la Vie et chacun-chacune peut s'y retrouver. Tout en parcourant la traversée du miroir, Rosy, accompagnée de l'Énergie christique, porte le flambeau de la compassion.
ISBN: 1-894750-01-2

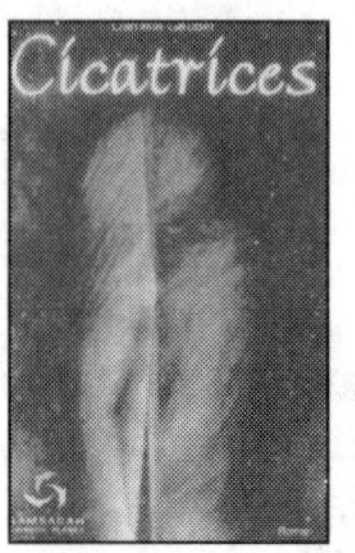

Cicatrices
Roman
de Danielle Gaudet

Trahie par son père, Catherine, encore jeune, s'enfuit de chez elle... Des bouleversements, des incidents, se succèdent les uns à la suite des autres. Cette jeune fille met des milliers de kilomètres entre elle et son douloureux passé. Un jour son père la retrouve... Catherine choisira-t-elle de fuir toute sa vie ou trouvera-t-elle le courage de l'affronter?

ISBN: 0-9687864-9-9

Les autres royaumes nous parlent - Tome 3
de Helena Hawley

"À tous ceux et celles qui se sont surpris à parler à une plante ou à un cheval et qui, en dépit du raisonnement logique, ont été certains que la plante ou le cheval leur renvoyait une réponse, ce livre est pour vous." *(Joan Ocean)*

ISBN: 0-9687864-6-4

PUBLICATIONS EN ANGLAIS

chez **SAMSARAH** rainbow planet

As beyond so Below
by Sarah Dolphin

This book is about the Rites of Passages that led the author, a jungian psychotherapist, to create a unique approach of Compassion to Life and Death. You will read how she met, in 1993, Dolphins, the Angels of the Sea, and Death. You will discover how she became a "midwife of the Passages" to help in the arrival and departure of people's souls on Earth.

ISBN: 0-9683775-2-1

Dialogues with the Eagle and the Rainbow Masters, Book 1
by Sarah Diane Pomerleau

In the quiet stillness of the desert... when the Native American Spirit meets the Western Soul, they create a Path to Ascension, Shamanic Rituals for a New Millenium and the Rainbow Planet.
ISBN: 0-9683775-5-6

PUBLICATION EN ESPAGNOL
chez **Ediciones Luciérnaga**

La Exploración consciente del Tránsito
de Sarah Diane Pomerleau

Creadora del término *"Barqueros de la Tierra"* enseña la manera de poder acompañar en el camino que conduce de esta vida a la otra. El bello oficio de matrona o partera no se limita a ayudar a llegar a este mundo sino que debe ampliarse creando el que ayuda a "alejarse" de la Tierra.
ISBN: 84-89957-23-1